KB052772

이 책을 펴내며

어휘력이 성장하는 빅뱅 시기, 초등 6년!

어느 언어학자의 연구 결과에 따르면,
학생들의 키는 보통 사춘기에 폭풍 성장하는데,
어휘력은 그보다 더 이른 초등 시기에 폭발적으로 늘어난다고 합니다.
보통 초등학교에 입학하기 전 아이들의 어휘력 수준은
약 5,000 단어를 아는 데 불과합니다.
그런데 **초등학교 6년의 과정을 거치면서 약 40,000 단어 이상을 습득하게 됩니다.**
초등 시기에 매년 6,000 단어 이상의 새로운 어휘를 습득하게 되는 셈입니다.
매우 놀라운 사실은 일반 사람들이 원만한 사회생활을 하는 데
필요한 어휘의 85%를 바로 초등 시기에 익히게 된다는 점입니다.
그래서 **초등학생 때를 "어휘의 빅뱅* 시기"**라고 부르기도 합니다.
(빅뱅이라는 말은 우주가 어느 날 폭발적으로 팽창하면서 커지게 되었다는 학설입니다.)
이러한 빅뱅 시기에 어휘 학습을 제대로 해 놓아야 그 효과를 톡톡히 볼 수 있겠지요?
혹여나 '어휘 학습은 그냥 국어 공부잖아, 다음에 봐서 학원에 보내면 되겠지.'
라고 생각하면 큰 오산입니다.
어휘의 빅뱅 시기를 너무 안일하게 생각하면 때는 늦습니다.
공부가 때가 있다는 말들을 하지요?
이는 뇌 구조상 쉽게 기억되고 받아들이는 때가 있다는 말입니다.
많은 양을 공부할 필요는 없습니다.
하루에 20~25개 정도의 어휘만 꾸준히 학습하면 됩니다.
'초등국어 어휘왕'은 바로 어휘의 빅뱅 시기를 맞이한 초등학생 여러분의 어휘력을
성장시켜 줄 좋은 친구가 될 것입니다.

초등국어 어휘왕의 특장점은?

1 교과서에 나오는 주요 어휘를 학습할 수 있습니다.

초등 교과서에만 약 3만 개가 넘는 어휘가 수록되어 있어요. 교과서는 학생에게 가장 유익하고 체계적인 학습 교재라는 점을 고려해 볼 때, 초등 교과서로 어휘 학습을 시작하는 것은 매우 합리적인 방법이라고 할 수 있습니다. '초등국어 어휘왕'은 초등학교 교과서에 수록된 어휘들을 단원별로 정리하여 문제로 제시하고 있어요.

2 적절한 분량으로 학습 스케줄을 짤 수 있습니다.

초등학생이 집중해서 학습할 수 있는 시간은 약 20~30분 정도예요. 너무 많은 양을 한꺼번에 학습하려다 보면 부담을 느낄 수 있어요. '초등국어 어휘왕'은 단원별 어휘들을 조금씩 꾸준히 학습할 수 있도록 학습 일차를 구분해 두었어요.

3 다양한 유형의 문제로 재미있게 어휘를 익힐 수 있습니다.

어휘를 단순히 암기하는 방식은 학습 효율 면에서 좋지 않습니다. '초등국어 어휘왕'은 문제를 통해 자연스럽게 어휘의 의미를 익힐 수 있도록 하였어요. 또한 반복되는 지루한 학습 패턴이 아닌, 여러 가지 다양한 유형을 통해 학습할 수 있도록 구성하고 있어요.

4 부모님이 자녀를 지도할 수 있는 자료로 활용할 수 있습니다.

풍부한 어휘력을 갖추려면, 꾸준한 학습과 노력이 뒤따라야 합니다. 학생이 꾸준하게 어휘를 공부할 수 있도록 하는 데에는 부모님의 역할이 매우 중요합니다. '초등국어 어휘왕'은 이러한 고민을 바탕으로, 다양한 놀이 형태의 문제들을 학생과 부모가 함께 해 나갈 수 있도록 만들었습니다. 부모님은 해설집을 통해 부분적으로 필요한 내용들을 지도 자료로 활용할 수 있습니다.

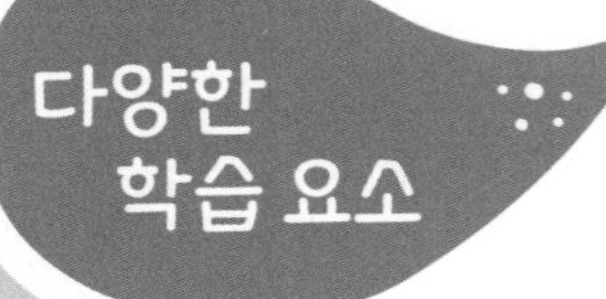

초등국어 어휘왕, 재밌고 다양한 문제로 공부해요.

1 새로운 어휘 학습

2장 중심 생각을 찾아요

1 중심 생각

3 주제별 어휘 날씨

주어진 낱말에 알맞은 뜻을 찾아 연결하세요.

① 기후 · 매우 심한 더위

② 폭염 · 갑자기 많이 내리는 눈

③ 장마 · 줄기차게 내리는 크고 많은 비

④ 폭설 · 기온, 비, 눈, 바람 따위의 기상 상태

⑤ 한파 · 겨울철에 기온이 갑자기 내려가는 현상

2 정도를 나타내는 말 맛

맛이 [달다 / 달콤하다 / 감미롭다].

다음 중 성격이 가장 다른 낱말 하나를 찾아 ○표 하세요.

맛

① 달다 달구다 달콤하다 감미롭다

② 떫다 떫구다 떠름하다 떨떠름하다

굳기

③ 딱딱하다 단단하다 딴딴하다 톡톡하다

④ 무디다 물렁하다 물컹하다 말랑하다

속도

6 소리를 흉내 내는 말 홀짝홀짝

물을 홀짝홀짝 마시다.

빈칸에 알맞은 낱말을 [보기]에서 찾아 써 보세요.

[보기] 똑똑 우르르 아삭아삭 왁자지껄 홀짝홀짝 부스럭부스럭

① 따뜻한 차를 ( ) 마시니 몸까지 따뜻해진다.

② 빗방울이 창가에 ( ) 떨어지는 소리가 듣기 좋다.

③ 쉬는 시간에 아이들이 교실에서 ( ) 떠들고 있다.

④ 사람들이 낙엽 위를 걸을 때마다 ( ) 소리가 났다.

⑤ 김밥에 들어 있는 오이가 ( ) 씹히는 맛이 참 좋다.

⑥ 하늘에서 번개가 치더니 이어서 ( ) 쾅쾅 하는 소리가 들렸다.

58

2 바꿔 쓸 수 있는 말 대견하다

인사를 잘해서 [대견하다 / 기특하다].

밑줄 친 낱말과 바꿔 쓸 수 있는 낱말을 [보기]에서 찾아 써 보세요.

[보기] 기대하다 대견하다 부담하다 속상하다 애먹이다 충만하다

① 요즘 살이 쪄서 괴롭다.

② 올 한 해의 행복을 소망한다.

③ 꽃 가게에 꽃향기가 가득하다.

④ 학비를 자기가 전부 책임지다.

⑤ 시험을 통과한 아들이 기특하다.

⑥ 아기가 밤낮으로 울어 부모 마음을 애태우다.

68

9 자주 쓰는 말 손을 잡다

친구와 손을 잡고 악수했다. 서로 손을 잡고 함께 일하기로 했다.

빈칸에 알맞은 말을 [보기]에서 찾아 써 보세요.

[보기] 눈에 차다 발이 넓다 발을 빼다 손이 맵다 손을 잡다 가슴이 뜨겁다

75

〈**단원별 주요 어휘**〉, 〈**주제별 어휘**〉, 〈**합쳐진 말**〉, 〈**태도·동작을 나타내는 말**〉, 〈**꾸며 주는 말**〉, 〈**소리나 모양을 흉내 내는 말**〉, 〈**단위를 나타내는 말**〉, 〈**바꿔 쓸 수 있는 말**〉, 〈**뜻이 반대인 말**〉 등의 새롭고 낯선 어휘들을 학습해 보세요.

2 기초 맞춤법

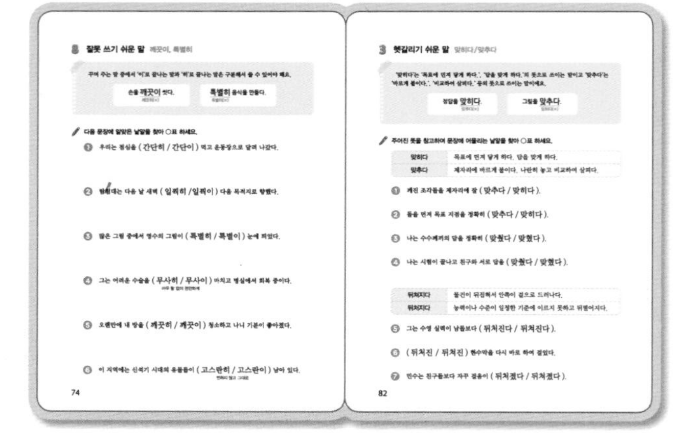

〈**잘못 쓰기 쉬운 말**〉, 〈**헷갈리기 쉬운 말**〉, 〈**문장 부호**〉 등의 맞춤법에 관련된 올바른 표현을 익혀 보세요.

3 띄어쓰기/원고지 쓰기

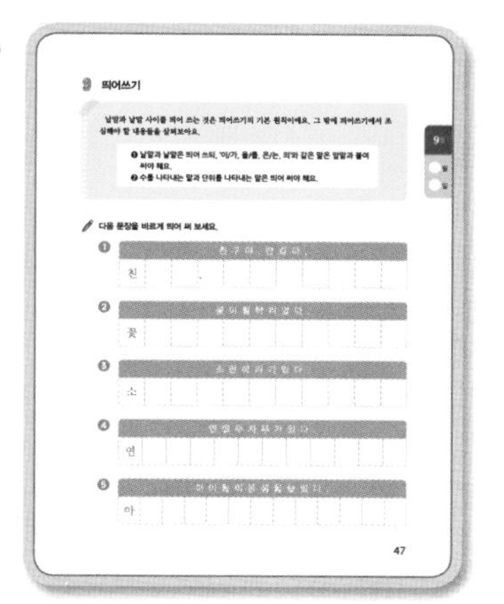

〈**띄어쓰기**〉를 포함하여 〈**원고지 쓰기**〉 등의 실제 글 쓰는 방식 등을 점검해 보세요.

4 올바른 발음

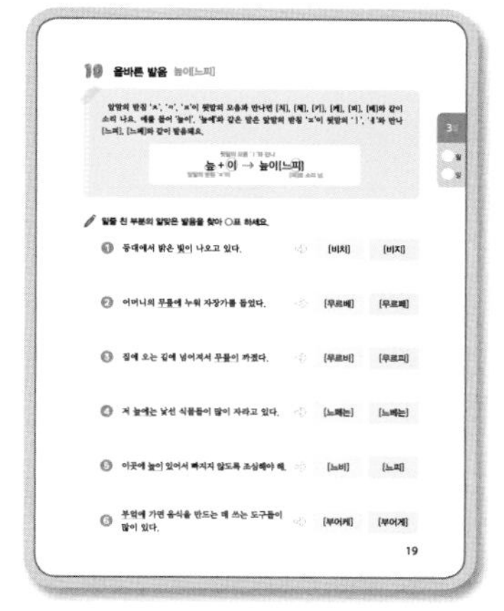

표준 발음법에 따른 〈**올바른 발음**〉에 대해 학습해 보세요.

5 문장 표현

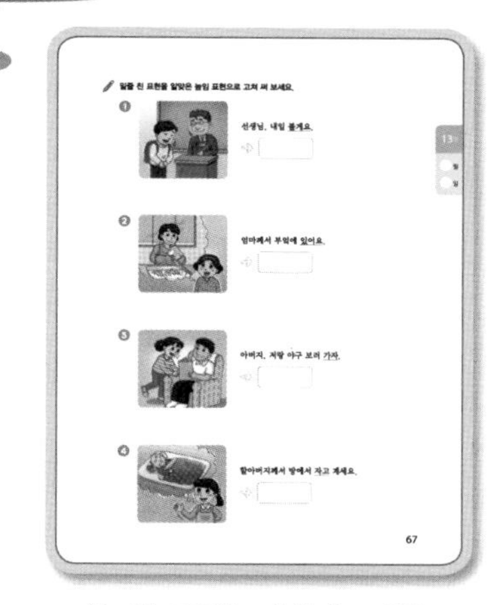

〈**높임 표현**〉, 〈**시간 표현**〉, 〈**부정 표현**〉, 〈**행동을 하게 하는 말**〉, 〈**행동을 당하는 말**〉 등 기초적인 문법 지식을 배워 보세요.

6 타교과 어휘

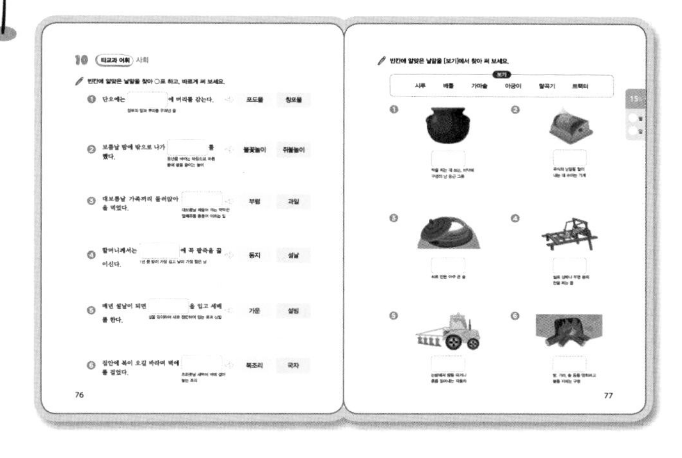

각 학기의 **[사회]**, **[과학]**, **[도덕]**, **[수학]**의 교과서에 나오는 주요 어휘들을 공부해 보세요.

7 어휘력을 높이는 확인 학습

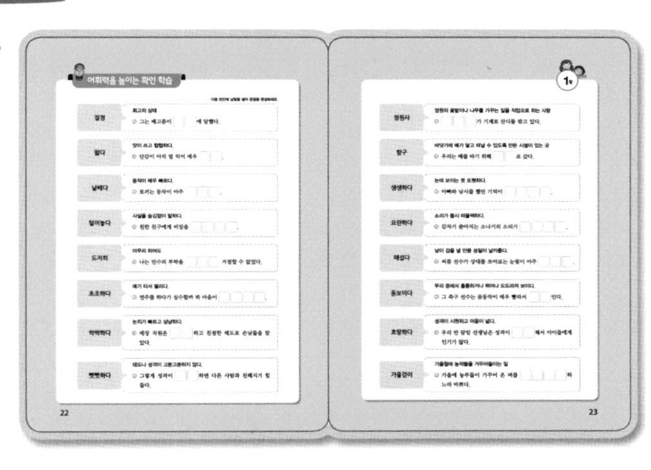

앞에서 공부한 어휘들을 다시 한번 확인해 보면서 확실한 어휘 학습이 되었는지 점검해 보세요.

이 책의 차례

계획에 따라 차근차근 공부해요.

1 작품을 보고 느낌을 나누어요

내용		쪽	일차
1 인물의 성격 3 자주 쓰는 말 **'허리를 펴다'**	2 정도를 나타내는 말 **'맛'** 4 짝을 이루는 말 **'결코'**	10쪽	1일 __월 __일
5 표정을 나타내는 말 **'찡그리다'** 7 잘못 쓰기 쉬운 말 **'젠체하다'**	6 감정을 나타내는 말 **'섭섭하다'** 8 바꿔 쓸 수 있는 말 **'짐작하다'**	14쪽	2일 __월 __일
9 끝말잇기 11 타교과 어휘 **'사회'**	10 올바른 발음 **'높이[노피]'**	18쪽	3일 __월 __일

• 어휘력을 높이는 확인 학습 1~3 일차 22쪽

2 중심 생각을 찾아요

내용		쪽	일차
1 중심 생각 3 주제별 어휘 **'날씨'**	2 중심 문장과 뒷받침 문장 4 뜻을 더하는 말 **'헛-, 짓-'**	24쪽	4일 __월 __일
5 형태는 같은데 뜻이 다른 말 **'익다'** 7 포함하는 말 **'바람'**	6 정도를 나타내는 말 **'무진장하다'** 8 바꿔 쓸 수 있는 말 **'으뜸'**	28쪽	5일 __월 __일
9 외래어 표기 **'잼'** 11 타교과 어휘 **'과학'**	10 줄여 쓰는 말 **'춰'**	32쪽	6일 __월 __일

• 어휘력을 높이는 확인 학습 4~6 일차 36쪽

3 자신의 경험을 글로 써요

내용		쪽	일차
1 글쓰기 3 뜻을 더하는 말 1 **'-자마자'**	2 모양을 흉내 내는 말 **'조몰락조몰락'** 4 뜻을 더하는 말 2 **'-적'**	38쪽	7일 __월 __일
5 뜻이 여러 가지인 말 **'깊다'** 7 단위를 나타내는 말 **'벌, 마리'**	6 잘못 쓰기 쉬운 말 **'얼른'**	42쪽	8일 __월 __일
8 꾸며 주는 말 **'드디어'** 10 타교과 어휘 **'도덕'**	9 띄어쓰기	46쪽	9일 __월 __일

• 어휘력을 높이는 확인 학습 7~9 일차 50쪽

4 감동을 나타내요

내용		쪽	일차
1 감각적 표현 3 쓰임을 바꾸는 말 **'-하다'**	2 날짜를 나타내는 말 **'하루'**	52쪽	10일 __월 __일
4 잘못 쓰기 쉬운 말 **'헤엄치다'** 6 소리를 흉내 내는 말 **'홀짝홀짝'**	5 자주 쓰는 말 **'눈이 높다'** 7 두 가지 형태가 모두 쓰이는 말 **'맨날'**	56쪽	11일 __월 __일
8 뜻이 여러 가지인 말 **'싣다'** 10 타교과 어휘 **'수학'**	9 주제별 어휘 **'연주자'**	60쪽	12일 __월 __일

• 어휘력을 높이는 확인 학습 10~12 일차 64쪽

단원	학습 내용	쪽	일차
5 바르게 대화해요	1 높임 표현 / 2 바꿔 쓸 수 있는 말 **'대견하다'** / 3 낱말 퀴즈	66쪽	13일 __월 __일
	4 잘못 쓰기 쉬운 말 **'윗-, 웃-'** / 5 형태는 같은데 뜻이 다른 말 **'소화'** / 6 올바른 발음 **'답답하다[답따파다]'** / 7 띄어쓰기	70쪽	14일 __월 __일
	8 잘못 쓰기 쉬운 말 **'깨끗이, 특별히'** / 9 자주 쓰는 말 **'손을 잡다'** / 10 타교과 어휘 **'사회'**	74쪽	15일 __월 __일

• 어휘력을 높이는 확인 학습 13~15 일차 ············ 78쪽

단원	학습 내용	쪽	일차
6 마음을 담아 글을 써요	1 꾸며 주는 말 **'이미'** / 2 잘못 쓰기 쉬운 말 **'돌멩이'** / 3 헷갈리기 쉬운 말 **'맞히다/맞추다'** / 4 바꿔 쓸 수 있는 말 **'추천'**	80쪽	16일 __월 __일
	5 뜻을 더하는 말 **'-껏'** / 6 사람의 성격을 나타내는 말 **'솔직하다'** / 7 흉내 내는 말 **'쌩쌩'** / 8 자주 쓰는 말 **'손뼉을 치다'**	84쪽	17일 __월 __일
	9 헷갈리기 쉬운 말 **'-(는)대/-(는)데'** / 10 원고지 쓰기 **'둘째 줄'** / 11 타교과 어휘 **'과학'**	88쪽	18일 __월 __일

• 어휘력을 높이는 확인 학습 16~18 일차 ············ 92쪽

단원	학습 내용	쪽	일차
7 글을 읽고 소개해요	1 독서 감상문 / 2 뜻을 더하는 말 **'한-'** / 3 주제별 어휘 **'산'** / 4 띄어쓰기 **'체하다'**	94쪽	19일 __월 __일
	5 잘못 쓰기 쉬운 말 1 **'두드리다'** / 6 잘못 쓰기 쉬운 말 2 **'-ㄹ게, -ㄹ걸'** / 7 속담 **'갈수록 태산'** / 8 뜻이 반대인 말 **'많다/적다'**	98쪽	20일 __월 __일
	9 바꿔 쓸 수 있는 말 **'도대체'** / 10 형태는 같은데 뜻이 다른 말 **'길'** / 11 타교과 어휘 **'도덕'**	102쪽	21일 __월 __일

• 어휘력을 높이는 확인 학습 19~21 일차 ············ 106쪽

단원	학습 내용	쪽	일차
8 글의 흐름을 생각해요	1 글의 흐름 / 2 주제별 어휘 **'병'** / 3 잘못 쓰기 쉬운 말 **'덥석'** / 4 바꿔 쓸 수 있는 말 **'간단하다'**	108쪽	22일 __월 __일
	5 한자로 이루어진 말 **'견학'** / 6 뜻을 강조하는 말 **'-디'** / 7 뜻을 더하는 말 **'폐-, -처'**	112쪽	23일 __월 __일
	8 띄어쓰기 **'첫째 날, 이튿날'** / 9 올바른 발음 **'넓다[널따], 밝다[박따]'** / 10 타교과 어휘 **'사회'**	116쪽	24일 __월 __일

• 어휘력을 높이는 확인 학습 22~24 일차 ············ 120쪽

9 작품 속 인물이 되어				
	1 주제별 어휘 **'연극'** 3 꾸며 주는 말 **'잔뜩'**	2 움직임을 나타내는 말 **'뛰쳐나오다'** 4 잘못 쓰기 쉬운 말 **'-려고'**	122쪽	25일 __월 __일
	5 수를 나타내는 말 **'한둘'** 7 뜻이 여러 가지인 말 1 **'손'**	6 한자성어 **'자신만만'** 8 뜻이 여러 가지인 말 2 **'그늘'**	126쪽	26일 __월 __일
	9 뜻이 반대인 말 **'마중/배웅'** 11 타교과 어휘 **'과학'**	10 형태가 변하는 말 **'걷다'**	130쪽	27일 __월 __일

• 어휘력을 높이는 확인 학습 25~27 일차 134쪽

[정답 및 해설] —— 책 속의 책

학생 지도 방안

학생들의 학습을 도와주세요!

기본 학습

일차별로 꾸준하게 공부하게 합니다.

학습 스케줄에 따라 하루에
25~30개의 정도의 낱말을 꾸준하게
공부할 수 있도록
지도하는 것이 좋습니다.

20~30분 집중하여 학습하게 합니다.

시간을 정해 두고
한 번에 집중해서 학습하도록
하는 것이 바람직합니다.

점검 학습

단원별로 공부한 어휘를 점검하게 합니다.

3일차 학습이 끝나는 대로 10분 정도의
시간을 별도로 할애하여 '어휘력을 높이는
확인 학습' 코너를 활용하여 주요 어휘들을
숙지하였는지 확인해야 합니다.

모바일 앱을 통해 학습한 내용을 복습하게 합니다.

본 교재는 모바일에서 '초등국어 어휘왕' 앱을
제공합니다. 이를 다운 받아, 하루에 학습한
낱말을 복습할 수 있도록
지도할 수도 있습니다.

도움 학습

궁금해할 만한 내용은 해설을 보고 직접 설명해 줍니다.

'정답 및 해설'에 알아 두면
유익한 내용들을 이해하기 쉽도록
별도로 설명해 두었습니다.
이를 학생에게 설명하여 이해를
돕는 것이 중요합니다.

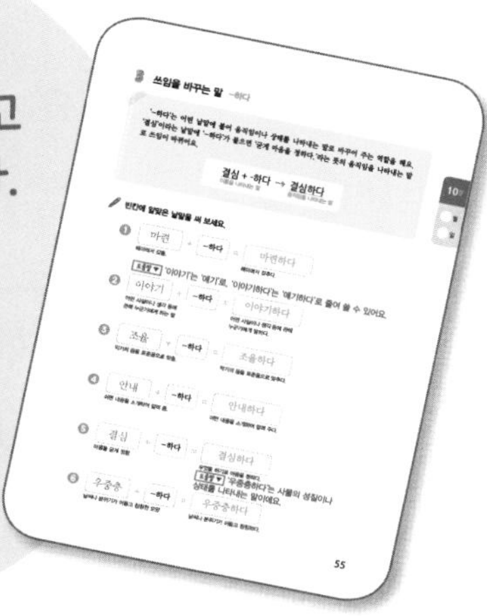
쓰임을 바꾸는 말 -하다

결심 + -하다 → 결심하다

빈칸에 알맞은 낱말을 써 보세요.

1. 마련 + -하다 = 마련하다
2. 이야기 + -하다 = 이야기하다
   '이야기'는 '얘기'로, '이야기하다'는 '얘기하다'로 줄여 쓸 수 있어요.
3. 조율 + -하다 = 조율하다
4. 안내 + -하다 = 안내하다
5. 결심 + -하다 = 결심하다
6. 우중충 + -하다 = 우중충하다
   '우중충하다'는 사물의 성질이나 상태를 나타내는 말이에요.

55

1 장 작품을 보고 느낌을 나누어요

1 인물의 성격

인물의 표정, 몸짓, 말투에 주의하며 작품을 감상하면 인물의 마음을 잘 짐작할 수 있어요.

밑줄 친 부분이 인물의 표정, 몸짓, 말투 중 어느 것에 해당하는지 써 보세요.

성태가 지나가며 내 책상을 건드리는 바람에 내가 아끼는 필통이 교실 바닥에 떨어졌다. 나는 눈썹을 치켜세우고• 성태를 노려보며 소리쳤다.

"뭐 하는 거야?"

성태는 내 고함 소리에 놀라 고개를 돌리고 나를 향해 통명스럽게• 말했다.

"내가 그런 거 맞아?"

• 치켜세우다: 옷깃이나 눈썹 따위를 위쪽으로 올리다.
• 퉁명스럽다: 못마땅한 듯 하는 말이나 태도가 무뚝뚝하다.

1 표정을 나타내는 말 → ______________

2 몸짓을 나타내는 말 → ______________

3 말투를 나타내는 말 → ______________

빈칸에 알맞은 낱말을 써 보세요.

1 인물의 표정, 몸짓, 말투에서 작품의 [ㅈ][ㅁ]를 느껴요.
즐거운 기분이나 느낌

2 인물의 표정, 몸짓, 말투가 작품의 [ㅅ][ㅎ]에 알맞은지 살펴봐요.
일이 진행되어 가는 형편이나 모양

2 정도를 나타내는 말 맛

어떤 사물의 특징을 정확히 설명하려면 그에 알맞은 표현이 필요해요. 맛을 표현할 때, '달다'라고 표현할 수도 있지만 '달콤하다', '감미롭다'와 같이 다르게 표현할 수도 있어요.

맛이 [달다 / 달콤하다 / 감미롭다].

1일 | 월 | 일

다음 중 성격이 가장 다른 낱말 하나를 찾아 ○표 하세요.

맛

❶	달다	달구다	달콤하다	감미롭다
❷	떫다	떨구다	떠름하다	떨떠름하다

굳기

❸	딱딱하다	단단하다	딴딴하다	똑똑하다
❹	무디다	물렁하다	물컹하다	말랑하다

속도

❺	빠르다	날뛰다	날쌔다	날렵하다
❻	더디다	더하다	느리다	느릿하다

3 자주 쓰는 말 허리를 펴다

'허리를 펴다'라는 말은 '허리를 곧게 세우다.'라는 말로 이해할 수 있어요. 그런데 이와 같은 말은 원래의 뜻 외에도 '어려운 때를 넘기고 편하게 지내다.'라는 새로운 뜻으로 쓰이기도 해요.

가난에서 벗어나 드디어 허리를 펴다.
편하게 지내다.

밑줄 친 말의 뜻에 해당하는 번호를 써 보세요.

1 옆에 있는 사람에게 말을 붙이다. (   )

① 말을 걸다.
② 말꼬리를 잡고 늘어지다.

2 어려웠던 사업이 잘 되어 허리를 펴다. (   )

① 어려운 때를 넘기고 편하게 지내게 되다.
② 생김새가 나이에 비해 몰라보게 젊어지다.

3 밤새 게임을 하느라고 시간 가는 줄 모르다. (   )

① 당황하여 몹시 서두르다.
② 어떤 일에 빠져 시간이 어떻게 지났는지 알지 못하다.

4 맛있는 음식이 잔뜩 차려진 것을 보니 군침이 돌다. (   )

① 음식을 보고 귀찮은 마음이 들다.
② 음식을 먹고 싶어 하는 마음이 들다.

5 주저리주저리 핑계를 대다가 할 말이 없어 입을 다물다. (   )

① 말을 하지 않거나 하던 말을 그치다.
② 감당할 수 없이 매우 화를 내며 삐치다.

4 짝을 이루는 말 결코

꾸며 주는 말 중에는 앞말을 부정하는 뜻을 나타내는 말과 짝을 이루어 쓰이는 것들이 있어요. '결코', '도저히' 따위의 낱말들은 '~ 않다', '~ 못하다' 따위의 말과 함께 사용돼요.

그는 **결코** 그때를 잊지 **못한다**.
짝을 이룸.

1일
월
일

빈칸에 알맞은 낱말을 [보기]에서 찾아 써 보세요.

보기

결코 별로 여간 그다지 도저히

1 이번 일에 실수는 [　　] 없을 것이다.
어떤 경우에도 절대로

2 그것은 나에게 [　　] 문제가 되지 않는다.
그러한 정도로는. 또는 그렇게까지는

3 그가 무슨 생각을 하는지 [　　] 알 수가 없다.
아무리 하여도

4 혼자 아이를 돌보는 것은 [　　] 힘든 일이 아니다.
보통의 정도로

5 그렇게 말대꾸하는 것은 [　　] 도움이 되지 않는다.
이렇다 하게 따로

5 표정을 나타내는 말 찡그리다

'찡그리다'와 같은 말은 얼굴의 표정을 나타내는 말이에요. '얼굴에 주름이 생기게 하다.'라는 뜻의 '찡그리다'는 몹시 마음이 좋지 않은 상태일 때 쓰여요.

안타까운 마음에 얼굴을 **찡그리다**.
마음이 좋지 않은 표정을 표현

다음 낱말에 어울리는 표정을 찾아 연결하세요.

❶ 환하다

❷ 흘기다

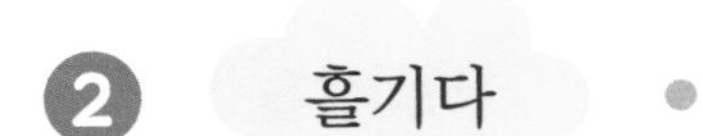

❸ 찡그리다

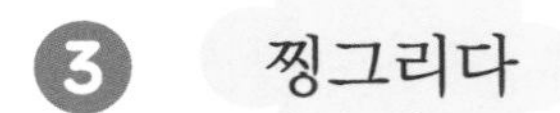

❹ 글썽이다

❺ 치켜뜨다

눈에 눈물이 넘칠 듯이 고이다.

눈을 아래에서 위로 올려 뜨다.

표정이나 성격이 구김살 없이 밝다.

불쾌하여 얼굴에 주름이 생기게 하다.

눈동자를 옆으로 굴려 못마땅하게 노려보다.

6 감정을 나타내는 말 섭섭하다

'생각대로 되지 않아 아쉽다.'라는 뜻을 가진 '섭섭하다'는 엄마한테 혼나거나 친구와 헤어질 때와 같은 상황에서 느끼는 아쉬운 감정을 나타내는 말이에요.

친구와 헤어지려니까 **섭섭하다**.
아쉬운 감정을 표현

2일
월
일

빈칸에 알맞은 낱말을 [보기]에서 찾아 써 보세요.

보기

우습다 무섭다 뿌듯하다 섭섭하다 쑥스럽다 초조하다

1. 이 그림은 엉뚱한 것이 아주 ( ).
재미가 있어 웃을 만하다.

2. 밀린 숙제를 모두 하고 나니 ( ).
기쁨이 마음속에 가득차다.

3. 처음 본 사람에게 말을 걸기가 ( ).
하는 짓이나 모양이 자연스럽지 못하여 부끄럽다.

4. 어두운 밤길을 혼자 걸어가려니 엄청 ( ).
무엇이 꺼려지거나 겁나는 데가 있다.

5. 친구와 신나게 놀다가 헤어지려 하니 ( ).
서운하고 아쉽다.

6. 상대편이 먼저 골을 넣자 마음이 몹시 ( ).
애가 타서 떨리다.

7 잘못 쓰기 쉬운 말 젠체하다

'잘난 체하다'라는 뜻의 '젠체하다'는 '제가 저인 체하다.'라는 말에서 생겨났다는 설이 있어요. '젠체하다'와 같은 낱말들은 맞춤법을 틀리기 쉬우니 잘 익혀 두도록 해요.

칭찬을 받아 **젠체하다**.
잰체하다(×)

다음 뜻에 알맞은 낱말을 찾아 ○표 하세요.

1. 잘난 체하다. → 잰체하다 / 젠체하다
2. 눈치가 빠르고 상냥하다. → 싹싹하다 / 싹삭하다
3. 성격이 시원하고 마음이 넓다. → 호탕하다 / 허탕하다
4. 태도나 성격이 고분고분하지 않다. → 뻗뻗하다 / 뻣뻣하다
5. 사실보다 지나치게 불려서 나타내다. → 가장하다 / 과장하다
6. 남이 겁을 낼 만큼 성질이 날카롭다. → 메섭다 / 매섭다

8 바꿔 쓸 수 있는 말 짐작하다

'사정이나 형편을 대강 알아차리다.'라는 뜻의 '짐작하다'는 '추측하다'와 비슷한 말이에요. 그래서 '생활을 짐작하다.'라는 말을 '생활을 추측하다.'라는 말로 바꾸어 쓰기도 하지요.

조상들의 생활을 [짐작하다 / 추측하다].
바꿔 쓸 수 있음.

밑줄 친 낱말과 바꿔 쓸 수 있는 낱말을 [보기]에서 찾아 써 보세요.

보기

생생하다 요란하다 짐작하다 털어놓다 두드러지다

1. 그의 노래 솜씨가 돋보이다. → ( )
   눈에 띄게 뚜렷하다.

2. 동생이 자신의 잘못을 실토하다. → ( )
   사실을 숨김없이 말하다.

3. 형이 코를 고는 소리가 매우 시끄럽다. → ( )
   소리가 몹시 떠들썩하다.

4. 전쟁 당시의 기억이 아직도 선명하다. → ( )
   눈에 보이는 듯 또렷하다.

5. 친구의 목소리를 듣고 그의 기분을 추측하다. → ( )
   사정이나 형편 등을 대강 알아차리다.

9 끝말잇기

빈칸에 알맞은 낱말을 넣어 끝말잇기를 완성해 보세요.

표정

오늘따라 그녀의 □□이 무척이나 밝다.
마음의 감정이 얼굴에 드러난 모습

정 ㅇ ㅅ

□□□가 화단을 예쁘게 손질하고 있다.
정원의 꽃밭이나 나무를 가꾸는 일을 직업으로 하는 사람

ㅅ ㅅ

친구에게 돈을 빌려준 □□을 잊어버렸다.
실제로 일어났거나 일어나고 있는 일

ㅅ ㄱ

그는 콘서트에 온 자신의 팬들을 보고 인기를 □□했다.
실제인 것처럼 느끼는 것

ㄱ ㅅ

음악 시간에 클래식 합주곡을 □□했다.
주로 예술 작품을 이해하여 즐기고 평가함.

ㅅ ㄱ

임금이 식사를 할 때는 □□이 시중을 든다.
왕궁에서 일하던 지위가 높은 여자

ㄱ ㄴ

조선 시대 □□들은 왕실의 어려운 일들을 도맡아 하였다.
궁궐 안에서 왕과 왕비를 가까이 모시는 여자

10 올바른 발음 늪이[느피]

앞말의 받침 'ㅊ', 'ㅋ', 'ㅍ'이 뒷말의 모음과 만나면 [치], [체], [키], [케], [피], [페]와 같이 소리 나요. 예를 들어 '늪이', '늪에'와 같은 말은 앞말의 받침 'ㅍ'이 뒷말의 'ㅣ', 'ㅔ'와 만나 [느피], [느페]와 같이 발음돼요.

뒷말의 모음 'ㅣ'와 만나

늪 + 이 → 늪이[느피]

앞말의 받침 'ㅍ'이 [피]로 소리 남.

밑줄 친 부분의 알맞은 발음을 찾아 ○표 하세요.

1. 등대에서 밝은 빛이 나오고 있다. → [비치] [비지]
2. 어머니의 무릎에 누워 자장가를 들었다. → [무르베] [무르페]
3. 집에 오는 길에 넘어져서 무릎이 까졌다. → [무르비] [무르피]
4. 저 늪에는 낯선 식물들이 많이 자라고 있다. → [느페는] [느베는]
5. 이곳에 늪이 있어서 빠지지 않도록 조심해야 해. → [느비] [느피]
6. 부엌에 가면 음식을 만드는 데 쓰는 도구들이 많이 있다. → [부어케] [부어게]

11 타교과 어휘 사회

빈칸에 알맞은 낱말을 써서 문장을 완성해 보세요.

1. ㅎ ㄱ 은 인간의 삶에 많은 영향을 끼친다.
   생물이 살아가는 데 영향을 주는 자연적 조건이나 사회적 상황

2. 우리 동네 뒷산은 10월에 단풍이 ㅈ 저 이다.
   최고의 상태

3. 우리 조 서 ㅅ 에서는 낚시선을 주로 만든다.
   배를 만들거나 고치는 곳

4. 새벽이 되자 밤에 떠났던 고기잡이배가 ㅎ ㄱ 로 돌아왔다.
   바닷가에 배가 닿고 떠날 수 있도록 만든 시설이 있는 곳

5. 사람이 살아가는 데에는 기본적으로 ㅇ ㅅ ㅈ 가 필요하다.
   옷과 음식과 집을 통틀어 이르는 말

6. ㅇ 리 ㅈ 태 은 한 건물에 여러 가구가 모여 사는 집의 형태이다.
   한 건물 안에서 여러 가구가 각각 독립된 주거 생활을 할 수 있도록 지은 공동 주택

빈칸에 알맞은 낱말을 찾아 ○표 하고, 바르게 써 보세요.

1. 봄을 시샘하듯 [ ] 가 찾아왔다. → 꽃샘추위 / 봄샘추위
   이른 봄, 꽃이 필 무렵의 추위

2. 좁은 문구멍으로 [ ] 이 들어온다. → 젖소바람 / 황소바람
   좁은 틈으로 세게 불어 드는 바람

3. 농부가 텃밭에서 상추를 [ ] 한다. → 재배 / 지배
   식물을 심어 가꿈.

4. 가을이 되자 밭에서는 [ ] 가 한창 이다. → 가을건이 / 가을걷이
   가을철에 농작물을 거두어 들이는 일

5. 봄이 되니 굶주렸던 [ ] 시절이 떠오른다. → 보릿고개 / 식량고개
   먹을 것이 모자라서 어려운 때를 비유해서 이르는 말

6. 이 지역은 [ ] 이 많아서 벼농사를 짓기 좋다. → 강물 / 강수량
   일정한 곳에 비나 눈 따위가 내리는 물의 양

3일 월 일

어휘력을 높이는 확인 학습

다음 빈칸에 낱말을 넣어 문장을 완성하세요.

절정

최고의 상태

예 그는 배고픔이 ☐☐에 달했다.

떫다

맛이 쓰고 텁텁하다.

예 단감이 아직 덜 익어 매우 ☐☐.

날쌔다

동작이 매우 빠르다.

예 토끼는 동작이 아주 ☐☐☐.

털어놓다

사실을 숨김없이 말하다.

예 친한 친구에게 비밀을 ☐☐☐☐.

도저히

아무리 하여도

예 나는 민수의 부탁을 ☐☐☐ 거절할 수 없었다.

초조하다

애가 타서 떨리다.

예 연주를 하다가 실수할까 봐 마음이 ☐☐☐☐.

싹싹하다

눈치가 빠르고 상냥하다.

예 매장 직원은 ☐☐하고 친절한 태도로 손님들을 맞았다.

뻣뻣하다

태도나 성격이 고분고분하지 않다.

예 그렇게 성격이 ☐☐하면 다른 사람과 친해지기 힘들다.

정원사	정원의 꽃밭이나 나무를 가꾸는 일을 직업으로 하는 사람 예 □□□가 기계로 잔디를 깎고 있다.
항구	바닷가에 배가 닿고 떠날 수 있도록 만든 시설이 있는 곳 예 우리는 배를 타기 위해 □□로 갔다.
생생하다	눈에 보이는 듯 또렷하다. 예 아빠와 낚시를 했던 기억이 □□□□.
요란하다	소리가 몹시 떠들썩하다. 예 갑자기 쏟아지는 소나기의 소리가 □□□□.
매섭다	남이 겁을 낼 만큼 성질이 날카롭다. 예 씨름 선수가 상대를 쏘아보는 눈빛이 아주 □□□.
돋보이다	무리 중에서 훌륭하거나 뛰어나 도드라져 보이다. 예 그 축구 선수는 몸동작이 매우 빨라서 □□인다.
호탕하다	성격이 시원하고 마음이 넓다. 예 우리 반 담임 선생님은 성격이 □□해서 아이들에게 인기가 많다.
가을걷이	가을철에 농작물을 거두어들이는 일 예 가을에 농부들이 가꾸어 온 벼를 □□□□하느라 바쁘다.

2장 중심 생각을 찾아요

국어 교과서 66~95쪽

1 중심 생각

글쓴이가 글을 통해 전하려고 하는 생각을 '중심 생각'이라고 해요. 글을 읽을 때는 중심 생각이 무엇인지를 생각하며 읽어야 해요.

빈칸에 알맞은 낱말을 [보기]에서 찾아 넣어 문장을 완성해 보세요.

1. 글쓴이가 전하려고 하는 [ ][ ]을 ( )( ) [ ][ ]이라고 한다.

2. 문단은 ( )( ) <[ ][ ]>과 ([ ][ ][ ]) <[ ][ ]>으로 이루어져 있다.

3. ( )( ) <[ ][ ]>은 한 문단에서 전체 내용을 대표하는 <[ ][ ]>이다.

4. ([ ][ ][ ]) <[ ][ ]>은 ( )( ) <[ ][ ]>을 보충하거나 자세히 설명하는 <[ ][ ]>이다.

2 중심 문장과 뒷받침 문장

다음 글에서 중심 문장과 뒷받침 문장을 찾아 문장 번호를 써 보세요.

1

① 지구는 앞으로 우리가 살아갈 터전입니다. ② 그런데 우리가 한 번 쓰고 버리는 일회용품이 지구를 병들게 하고 있습니다. ③ 지구를 깨끗하게 하려면 일회용품을 덜 쓰는 노력이 필요합니다.

* 중심 문장 : (　　　　)　　* 뒷받침 문장 : (　　　　)

2

① 첫째, 비닐봉지를 적게 써야 합니다. ② 전 세계에서 사용하고 버리는 비닐봉지의 양은 매년 늘어나고 있습니다. ③ 이것을 처리하는 데는 많은 비용이 듭니다. ④ 비닐봉지가 자연적으로 썩어 없어지는 데에만 무려 500년이라는 시간이 필요하다고 합니다.

* 중심 문장 : (　　　　)　　* 뒷받침 문장 : (　　　　)

3

① 둘째, 일회용 컵을 적게 써야 합니다. ② 쓰기에 편하다는 점 때문에 일회용 컵은 필요 이상으로 낭비되고 있습니다. ③ 일회용 컵을 만드는 데에는 나무나 플라스틱이 필요하므로, 무분별하게 일회용 컵을 사용하다 보면 환경이 더 파괴될 수 있습니다.

* 중심 문장 : (　　　　)　　* 뒷받침 문장 : (　　　　)

다음은 윗글의 중심 생각이에요. 빈칸에 알맞은 낱말을 써 보세요.

□□□□의 사용을 줄여 □□를 깨끗하게 하자.

4일　월　일

3 주제별 어휘 날씨

일기 예보를 보면 날씨에 관련된 말이 자주 등장해요. 날씨와 관련된 기본적인 낱말을 익혀 두면 일기 예보가 귀에 쏙쏙 들어올 거예요.

주어진 낱말에 알맞은 뜻을 찾아 연결하세요.

❶ 기후	매우 심한 더위
❷ 폭염	갑자기 많이 내리는 눈
❸ 장마	줄기차게 내리는 크고 많은 비
❹ 폭설	기온, 비, 눈, 바람 따위의 기상 형태
❺ 한파	겨울철에 기온이 갑자기 내려가는 현상
❻ 호우	여름철에 여러 날을 계속해서 비가 내리는 현상이나 날씨. 또는 그 비

4 뜻을 더하는 말 헛-, 짓-

'헛-', '짓-'과 같은 말은 다른 말의 앞에 붙어 특별한 뜻을 더해 주는 말이에요. '헛-'은 이유 없는', '보람 없는'의 뜻을 더해 주고 '짓-'은 '마구', '함부로'의 뜻을 더해 주어요.

헛돈을 쓰다.
보람없는

망아지가 텃밭을 **짓**밟다.
마구, 함부로

4일
월
일

주어진 뜻에 알맞은 낱말을 [보기]에서 찾아 써 보세요.

보기
걸음 고생 소문

1 근거 없이 떠도는 소문 → 헛 ☐ ☐

2 아무 보람도 없이 수고함. → 헛 ☐ ☐

3 목적을 이루지 못하고 가거나 옴. → 헛 ☐ ☐

보기
누르다 뭉개다 이기다

4 함부로 마구 누르다. → 짓 ☐ ☐ ☐

5 함부로 마구 찧어 다지다. → 짓 ☐ ☐ ☐

6 함부로 세게 눌러 납작하게 만들다. → 짓 ☐ ☐ ☐

5 형태는 같은데 뜻이 다른 말 익다

'열매가 여물다.'는 뜻의 '익다'와 '익숙하여 편하다.'는 뜻의 '익다'는 형태는 같지만 전혀 다른 낱말이에요.

사과가 **익다.** (여물다.)

습관이 몸에 **익다.** (익숙하여 편하다.)

빈칸에 공통으로 들어갈 낱말을 써 보세요.

1 ㄲ 다

① 접시를 ☐☐.
단단한 물체를 쳐서 조각이 나게 하다.

② 깊은 잠에서 ☐☐.
잠, 꿈 따위에서 벗어나다.

2 ㅈ 다

① 글을 노트에 ☐☐.
어떤 내용을 글로 쓰다.

② 길가에 사람이 ☐☐.
양, 정도가 기준에 미치지 못하다.

3 ㄸ 다

① 개구리가 펄쩍펄쩍 ☐☐.
몸을 위로 솟구치다.

② 기차를 놓치지 않으려고 ☐☐.
빨리 달리다.

4 ㄱ 다

① 기계로 칼을 ☐☐.
날을 날카롭게 하려고 다른 물건에 대고 문지르다.

② 고장 난 전등을 새것으로 ☐☐.
이미 있는 사물을 다른 것으로 바꾸다.

6 정도를 나타내는 말 무진장하다

5일 월 일

'많다', '적다', '넓다', '좁다'와 같이 정도를 뜻하는 낱말들은 그 쓰임에 따라 다양한 표현이 가능해요.

숙제가 [상당하다 / 무진장하다].
바꿔 쓸 수 있음.

다음 낱말들을 나누려고 해요. 비슷한 느낌을 가진 낱말들끼리 써 보세요.

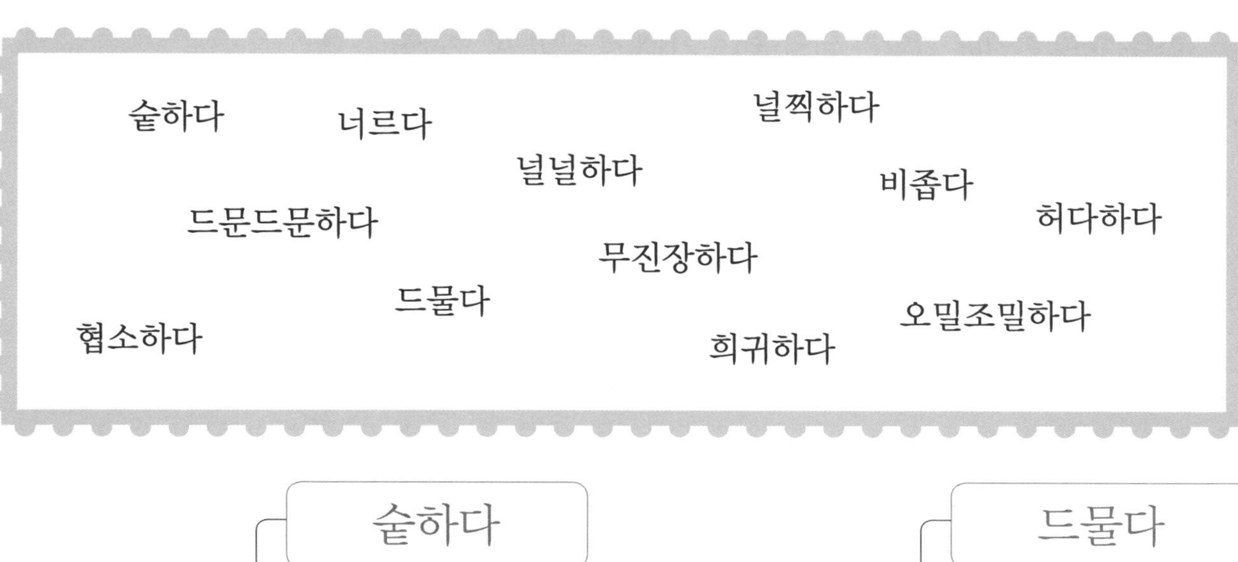

숱하다
너르다
널찍하다
널널하다
비좁다
드문드문하다
허다하다
무진장하다
드물다
오밀조밀하다
협소하다
희귀하다

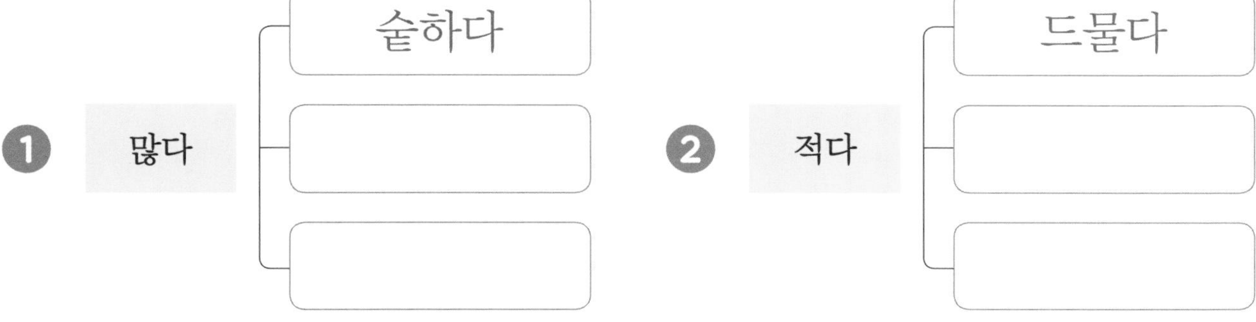

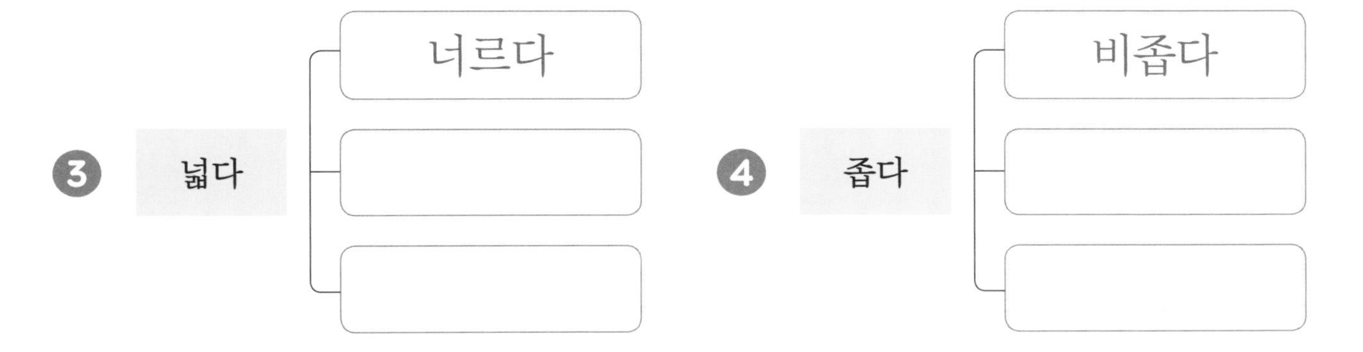

7 포함하는 말 바람

'피부로 느낄 수 있는 공기의 흐름'을 뜻하는 '바람'은 그 구체적인 종류를 나타내는 낱말 '건들바람', '꽃샘바람', '소소리바람'을 포함한다고 할 수 있어요.

바람			→ 포함하는 말
건들바람	꽃샘바람	소소리바람	→ 포함되는 말
초가을에 부는 바람	이른 봄 쌀쌀한 바람	이른 봄 매서운 바람	

다음 표의 빈칸에 알맞은 낱말을 [보기]에서 찾아 써 보세요.

보기

눈 서리 가랑눈 된서리 올서리 함박눈

❶

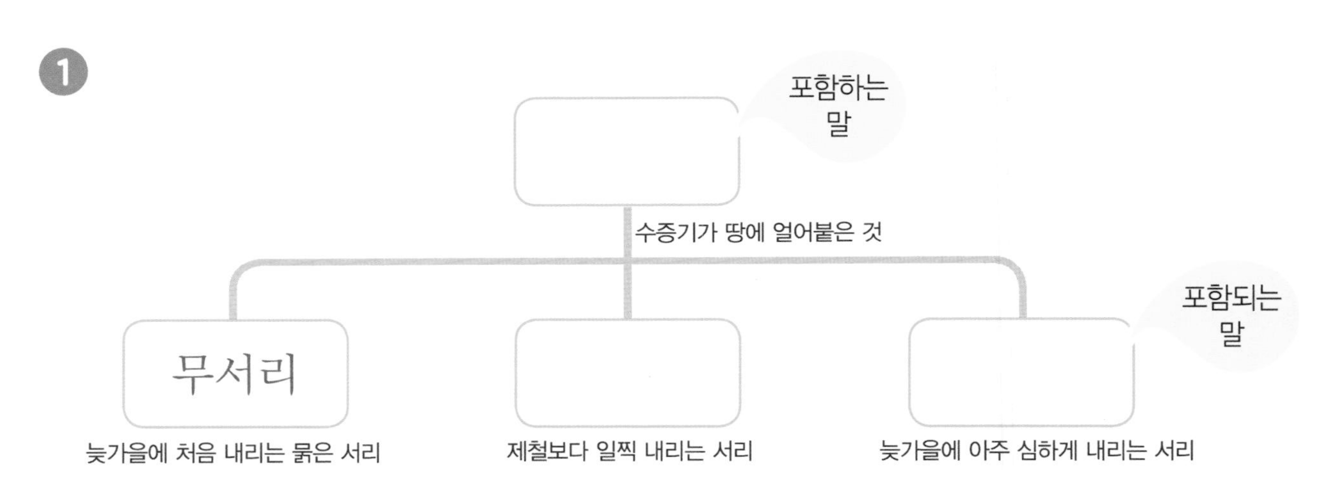

❷

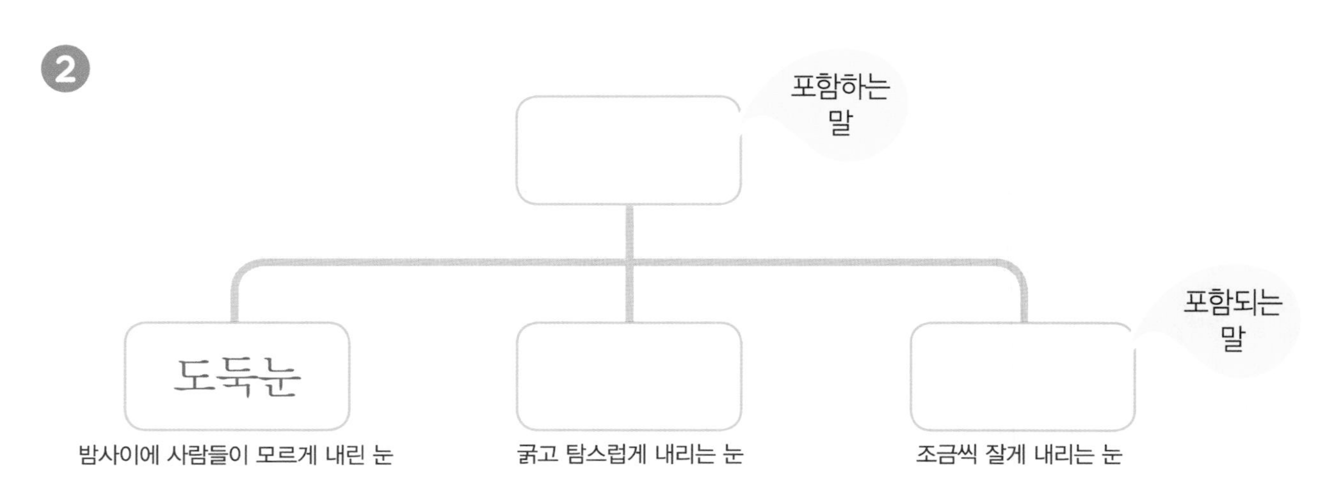

8 바꿔 쓸 수 있는 말 으뜸

'으뜸'는 '정도와 수준의 첫째'의 뜻을 가지고 있어요. 그래서 이 낱말은 '최고'라는 낱말로 바꾸어 쓰기도 해요.

그의 노래 실력은 [으뜸 / 최고]이다.
바꿔 쓸 수 있음.

밑줄 친 낱말과 바꿔 쓸 수 있는 낱말을 찾아 ○표 하세요.

1. 살갗에 상처가 나다.
살의 겉면
→ 살집 / 피부

2. 새는 떼를 지어 이동한다.
한데 많이 모여 있는 것
→ 줄 / 무리

3. 자연을 보존하기 위해 노력해야 한다.
잘 보살펴 그대로 남아 있게 하는 것
→ 보호 / 복구

4. 피부에 난 부스럼 주위가 몹시 가렵다.
피부에 고름이 생긴 상처
→ 종기 / 진물

5. 이 화장품에는 천연 색소가 들어 있다.
사람이 건드리지 않은 그대로의 상태
→ 식물 / 자연

6. 우리나라 자동차 기술은 세계에서 으뜸이다.
정도나 수준의 첫째
→ 버금 / 최고

9 외래어 표기 잼

우리말로 외래어를 적을 때에, 자음이 강하게 소리 나더라도 보통 소리로 적는 것이 많아요. 빵과 같은 음식에 발라 먹는 '잼'과 같은 경우, '쨈'이라고 강하게 소리 나지만 '잼'이라고 적어요.

jam → 잼
쨈(×)

다음 문장에서 알맞은 낱말을 찾아 ○표 하세요.

❶

⇨ 나는 (젤리 / 쩰리)를 좋아한다.

❷

⇨ (소세지 / 소시지)가 참 맛있다.

❸

⇨ 의사는 흰 (가운 / 까운)을 입는다.

❹

⇨ 갓 구운 빵 위에 (잼 / 쨈)을 발랐다.

10 줄여 쓰는 말 춰

'춤을 추어라.'와 같은 말은 '춤을 춰라.'와 같이 줄여서 쓸 수 있어요. '나누어', '가두어', '바꾸어'와 같은 말도 '나눠', '가둬', '바꿔' 처럼 줄여서 쓰기도 해요.

'어'와 만나
춤을 추어라. → 춤을 춰라.
'ㅜ'가 'ㅝ'가 됨.

6일
월
일

밑줄 친 부분을 알맞게 줄여 써 보세요.

1. 친구가 나에게 사탕을 주었다. →

2. 나는 짝꿍과 함께 신나게 춤을 추었다. →

3. 선물로 받은 사탕을 친구들에게 나누어 주었다. →

4. 입장을 바꾸어 보면, 상대방의 기분을 알 수 있다. →

5. 공공장소에서는 목소리를 낮추어 말하는 것이 좋다. →

6. 농사를 짓기 위해 논에 많은 양의 물을 가두었다. →

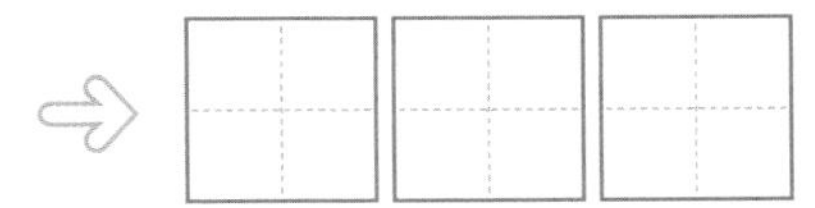

11 타교과 어휘 과학

빈칸에 알맞은 낱말을 써서 문장을 완성해 보세요.

1. [ㅎ][ㄷ]에 예쁜 꽃들이 활짝 피어 있다.
   꽃을 심기 위하여 흙을 약간 높게 하여 꾸며 놓은 꽃밭

2. 새가 [나][ㄱ]를 활짝 펴고 하늘로 날아올랐다.
   새나 곤충의 몸 양쪽에 붙어서 날아다니는 데 쓰는 기관

3. 나는 곤충을 [ㅊ][지]하기 위해 아빠와 함께 들에 갔다.
   널리 찾아서 얻거나 캐거나 잡아 모으는 일

4. 우리는 실생활에 도움이 되는 로봇을 [ㅅ][ㄱ]해 보았다.
   건축, 기계 등에 관한 계획을 세우거나 그 계획을 그림 등으로 나타내는 것

5. 나는 길가에 떨어진 [ㄱ][ㅌ]을 보고 새의 모습을 떠올려 보았다.
   새의 몸을 덮고 있는 털

6. 오리나 기러기는 발에 [ㅁ][가][ㅋ]가 있어서 물에서 헤엄칠 수 있다.
   동물의 발가락 사이에 있어 헤엄치기에 알맞은 얇은 막

⑦ 사막에는 종종 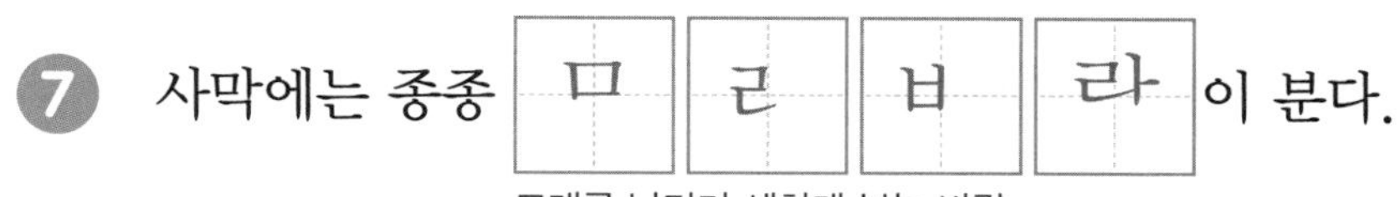 ㅁ ㄹ ㅂ 람이 분다.

모래를 날리며 세차게 부는 바람

6일
월
일

⑧ ㄴ ㄱ 지방에는 다양한 종류의 펭귄이 살고 있다.

지구 남쪽의 끝. 또는 그 주변의 지역

⑨ 이번 방학 때에는 나비에 대해 탐 ㄱ를 해 볼 것이다.

필요한 것을 조사하여 찾아내거나 얻어 냄.

⑩ 나는 ㄱ 벌에서 조개를 캐다가 발이 빠져 허둥거렸다.

바닷물이 빠졌을 때 드러나는 넓은 진흙 벌판

⑪ 미어캣에 대해 자세히 알아보려고 ㄷ 무 ㄷ 감을 찾아보았다.

그림, 사진과 함께 한 지역에 사는 동물의 분포, 분류,
상태 따위의 모든 자료를 모아서 종류별로 정리한 책

⑫ 이 호 ㅅ에는 물고기가 많이 살고 있어 낚싯줄만 던져도 물고기가 잡힌다.

땅으로 둘러싸인 큰 못

어휘력을 높이는 확인 학습

다음 빈칸에 글자를 넣어 낱말을 완성하세요.

1 □ 염	매우 심한 더위
2 □ 누 □ 다	함부로 마구 누르다.
3 폭 □	갑자기 많이 내리는 눈
4 헛 □ 문	근거 없이 떠도는 소문
5 □ 고 □	아무 보람도 없이 수고함.
6 호 □	줄기차게 내리는 크고 많은 비
7 □ 서리	늦가을에 처음 내리는 묽은 서리
8 □ 뭉 □ 다	함부로 세게 눌러 납작하게 만들다.
9 □ 걸 □	목적을 이루지 못하고 가거나 옴.
10 □ 파	겨울철에 기온이 갑자기 내려가는 현상

정답 1. 폭 2. 짓, 르 3. 설 4. 소 5. 헛, 생 6. 우 7. 무 8. 짓, 개 9. 헛, 음 10. 한

11 살 □	살의 겉면
12 으 □	정도나 수준의 첫째
13 □ 박 □	굵고 탐스럽게 내리는 눈
14 □ 스 □	피부에 고름이 생긴 상처
15 □ 리	한데 많이 모여 있는 것
16 □ 서리	늦가을에 아주 심하게 내리는 서리
17 □ 존	잘 보살펴 그대로 남아 있게 하는 것
18 □ 집	널리 찾아서 얻거나 캐거나 잡아 모으는 일
19 □ 벌	바닷물이 빠졌을 때 드러나는 넓은 진흙 벌판
20 □ 갈 □	동물의 발가락 사이에 있어 헤엄치기에 알맞은 얇은 막

정답 11. 갗 12. 뜸 13. 함, 눈 14. 부, 럼 15. 무 16. 된 17. 보 18. 채 19. 갯 20. 물, 퀴

3장 자신의 경험을 글로 써요

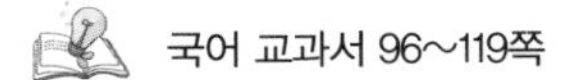

1 글쓰기

자신이 경험한 일들을 글로 써서 남겨 두면 오래도록 기억하기 쉬워요. 또한 자신이 한 행동에 대해 되돌아볼 수 있는 기회가 되기도 해요.

인상 깊은 일을 글로 쓰려고 합니다. 순서에 맞게 번호를 매겨 보세요.

- 고쳐 쓰기 → ☐
- 실제로 글 쓰기 → ☐
- 어떤 일을 글로 쓸지 정하기 → ☐
- 일의 내용을 자세히 떠올려 보고 생각이나 느낌 정리하기 → ☐
- 언제, 어디에서, 누구와 있었던 일인지 간단하게 정리하기 → ☐

2 모양을 흉내 내는 말 조몰락조몰락

작은 동작으로 물건 따위를 자꾸 주무르는 모양을 흉내 내는 말은 '조몰락조몰락'이에요. 보다 큰 동작으로 물건을 자꾸 주무르는 모양을 흉내 내는 말은 '주물럭주물럭'이지요.

야구공을 **조몰락조몰락** 주무르다. → 반죽을 **주물럭주물럭** 주무르다.
(작은 느낌의 동작) (큰 느낌의 동작)

밑줄 친 말보다 큰 느낌을 주는 낱말을 빈칸에 써 넣어 보세요.

1 포도송이에 까만 포도알들이 조랑조랑 달려 있다.
나무에 큰 사과들이 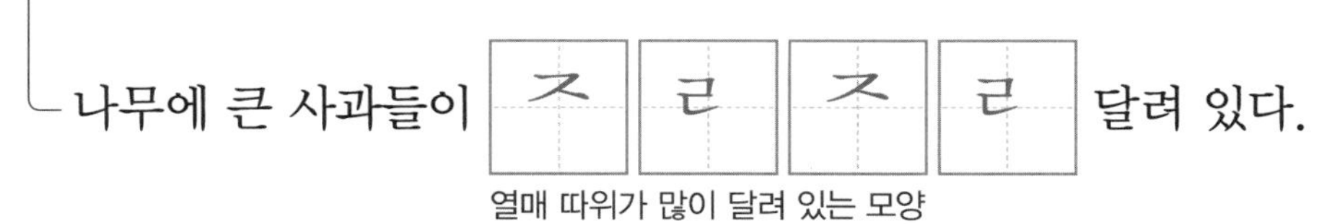 달려 있다.

열매 따위가 많이 달려 있는 모양

2 밤하늘에 별들이 반짝반짝 빛난다.
번개가 치면서  빛이 난다.

큰 빛이 잇따라 잠깐 나타났다가 사라지는 모양

3 고양이가 움직일 때마다 목에 걸린 방울이 달랑달랑 흔들린다.
바람이 불 때마다 창문이 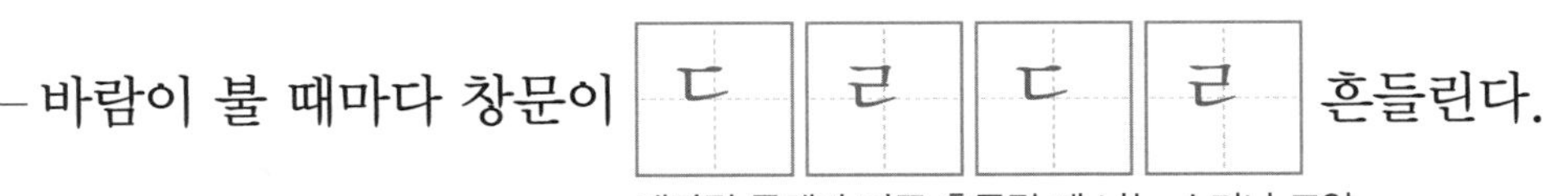 흔들린다.

매달린 물체가 자꾸 흔들릴 때 나는 소리나 모양

4 낚싯줄에 걸려 올라온 고기들이 팔짝팔짝 뛰었다.
아무도 말을 믿어 주지 않자, 그는 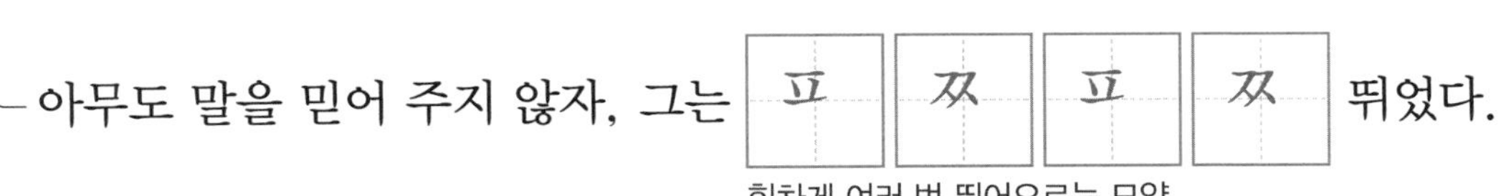 뛰었다.

힘차게 여러 번 뛰어오르는 모양

3 뜻을 더하는 말 1 –자마자

'–자마자'를 사용하면 이어지는 두 가지 사건이나 동작을 표현할 수 있어요.

내가 집에 도착하자마자 비가 왔다.
잇따라 바로

다음 두 문장을 '–자마자'를 사용하여 한 문장으로 만들어 보세요.

❶

먼저 일어난 일	잇따라 일어난 일
까마귀가 날았다.	배가 떨어졌다.

→ 까마귀가 날 □ □ □ 배가 떨어졌다.

❷

먼저 일어난 일	잇따라 일어난 일
나는 길을 건넜다.	나는 빵집에 갔다.

→ 나는 길을 건 너 □ □ □ 빵집에 갔다.

❸

먼저 일어난 일	잇따라 일어난 일
철이가 나를 보았다.	철이는 나에게 화를 냈다.

→ 철이는 나를 보 □ □ □ 화를 냈다.

❹

먼저 일어난 일	잇따라 일어난 일
나는 저녁을 먹었다.	영수가 나를 찾아 왔다.

→ 내가 저녁을 먹 □ □ □ 영수가 찾아 왔다.

4 뜻을 더하는 말 2 –적

'–적'은 어떤 낱말의 뒤에 붙어 '그 성격을 띠는', '그에 관계된'의 의미를 더하는 말로 쓰여요.

구체 / 상대 + -적(-的) → 구체적 / 상대적

7일 월 일

밑줄 친 부분을 바꿔 쓰려고 해요. [보기]에서 알맞은 낱말을 찾아 써 보세요.

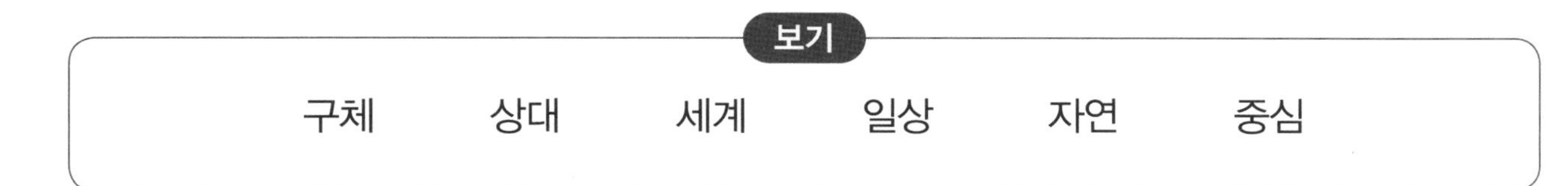

❶ 좀 더 자세하게 이야기를 해 보아라. → □□적으로

❷ 다른 쪽과 비교해 볼 때 우리 팀이 약하다. → □□적으로

❸ 이 부분을 기본으로 하여 글을 읽어야 한다. → □□적으로

❹ 이 낱말은 날마다 볼 수 있을 만큼 많이 사용된다. → □□적으로

❺ 우리 기술력은 세계에서 알아 줄 만큼 유명하다. → □□적으로

❻ 누가 범인인지는 노력 없이 저절로 알게 될 것이다. → □□적으로

5 뜻이 여러 가지인 말 깊다

'깊다'라는 낱말은 '겉과 속의 거리가 멀다.'라는 기본이 되는 뜻 외에도 여러 가지 다양한 뜻을 함께 가지고 있어요.

우물이 **깊다**. (겉과 속의 거리가 멀다.)	인연이 **깊다**. (수준, 정도가 심하다.)

빈칸에 공통으로 들어갈 낱말을 써 보세요.

1

역사가 ☐☐.
시간이 오래다.

생각이 ☐☐.
생각이 크고 매우 조심스럽다.

공통으로 들어갈 말 ⇨ ㄱ 다

2

사과를 ☐☐.
붙어 있는 것을 잡아 떼다.

금메달을 ☐☐.
경기에서 이겨 돈이나 상품 따위를 얻다.

깡통을 ☐☐.
꽉 봉한 것을 뜯다.

운전면허를 ☐☐.
점수나 자격을 얻다.

공통으로 들어갈 말 ⇨ ㄸ 다

3

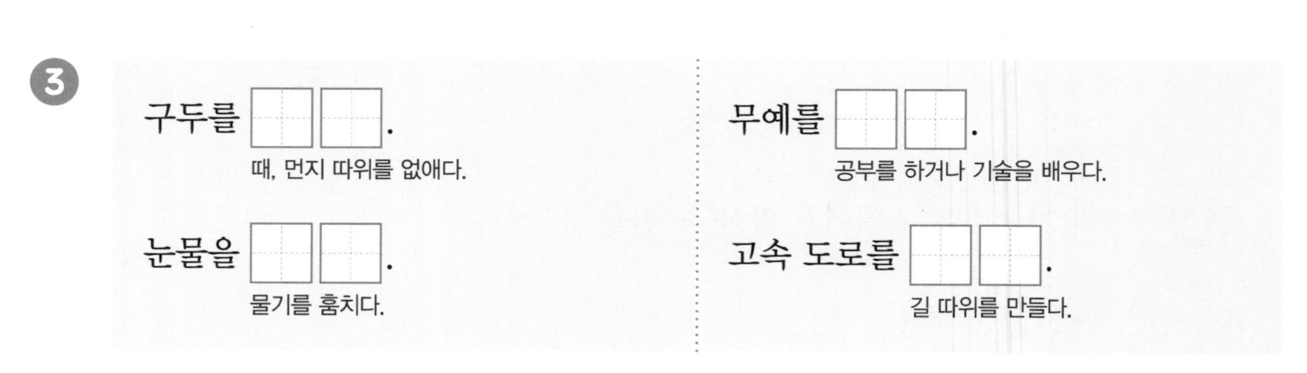

구두를 ☐☐.
때, 먼지 따위를 없애다.
무예를 ☐☐.
공부를 하거나 기술을 배우다.
눈물을 ☐☐.
물기를 훔치다.
고속 도로를 ☐☐.
길 따위를 만들다.

공통으로 들어갈 말 ⇨ ㄷ 다

6 잘못 쓰기 쉬운 말 얼른

'얼른'은 '시간을 끌지 않고 바로'라는 뜻을 가진 말이에요. 그런데 이 '얼른'은 '언능', '얼릉'과 같이 잘못 쓰기 쉬우니, 정확한 표기를 익혀 바르게 적을 수 있어야 해요.

초인종 소리에 얼른 문을 열었다.
언능(×), 얼릉(×)

8일
월
일

밑줄 친 낱말을 알맞게 고쳐 써 보세요.

1 머리맛에 책을 놓고 잠이 들었다.
누워 있는 사람의 머리 근처
→ 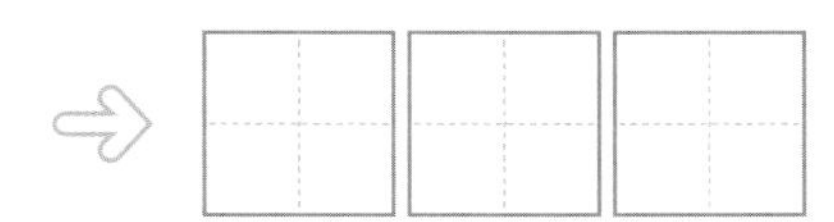

2 그는 쌀 한 웅큼으로 밥을 짓기로 했다.
손으로 움켜쥘 만큼의 양을 세는 단위
→ 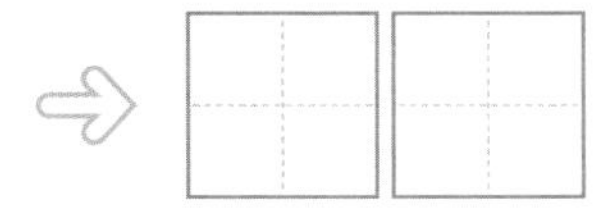

3 주인 영감이 막때기를 휘두르며 쫓아왔다.
→ 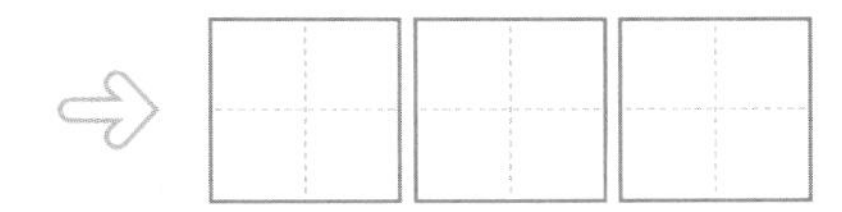

4 언니가 나의 이마에 물쑤건을 얹어 주었다.
→ 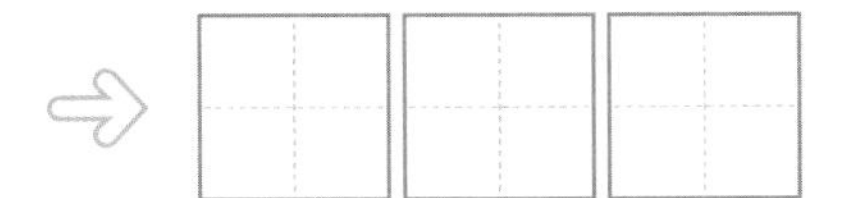

5 밥에 들어간 강남콩을 골라내다가 할머니께 혼이 났다.
→ 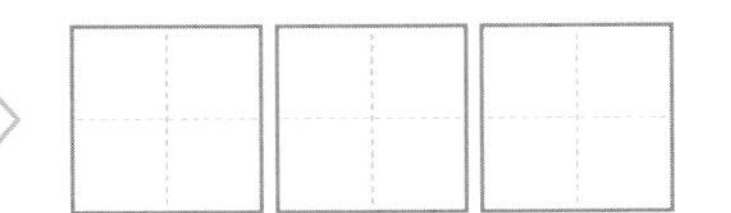

6 무를 네모나게 썰어서 양념과 함께 뒤섞어 만든 김치를 깍뚜기라고 한다.
→ 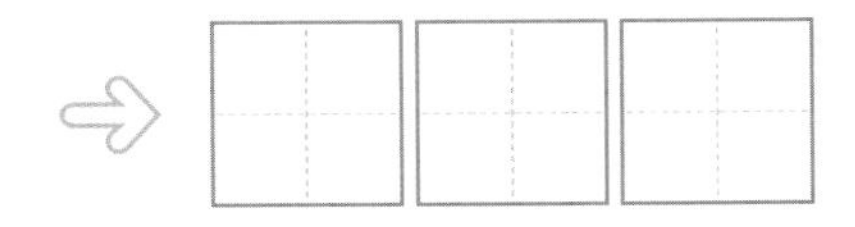

7 단위를 나타내는 말 벌, 마리

대상마다 단위를 나태는 말을 달리 써요. 옷은 한 벌, 두 벌처럼 나타내지만 동물은 한 마리, 두 마리처럼 나타내지요.

옷 한 **벌** (단위)

동물 한 **마리** (단위)

빈칸에 알맞은 낱말을 [보기]에서 찾아 써 보세요.

보기

대 벌 채 척 마리 자루

1. 옷 한 ☐
2. 버스 한 ☐
3. 연필 세 ☐☐
4. 집 한 ☐
5. 배 한 ☐
6. 토끼 한 ☐☐

주어진 표현과 바꿔 쓸 수 있는 말에 ☑표 하세요.

❶ 밥 한 숟가락

- □ 밥 한 술
- □ 밥 한 절
- □ 밥 한 줄

❷ 한약 한 봉지

- □ 한약 한 접
- □ 한약 한 첩
- □ 한약 한 줍

❸ 신발 두 짝

- □ 신발 한 켤레
- □ 신발 한 걸레
- □ 신발 한 굴레

❹ 조기 스무 마리

- □ 조기 한 두름
- □ 조기 한 꾸러미
- □ 조기 한 두루미

❺ 생선 두 도막

- □ 생선 두 토각
- □ 생선 두 토막
- □ 생선 두 토목

❻ 김 백 장

- □ 김 한 놋
- □ 김 한 톳
- □ 김 한 질

❼ 달걀 열 개

- □ 달걀 한 판
- □ 달걀 한 꾸럼
- □ 달걀 한 꾸러미

❽ 말 한 마리

- □ 말 한 길
- □ 말 한 필
- □ 말 한 무리

8 꾸며 주는 말 드디어

'드디어'는 '무엇으로 말미암아 그 결과로' 또는 '결국'과 같은 말을 뜻하는 낱말이에요. 이와 같은 말들은 다른 말을 꾸며 주는 역할을 해요.

드디어 그는 금메달을 땄다.

꾸며 줌.

밑줄 친 부분의 글자 순서를 바르게 고쳐 써 보세요.

1. 열심히 공부한 끝에 디드어 시험에 합격했다. →
   여러 고비를 거치고 끝에 이르러

2. 범인은 내끝끝 자신의 잘못을 인정하지 않았다. →
   끝까지 내내

3. 기를 쓰고 덤비더니, 코기어 우승을 차지했다. →
   결국에 가서는

4. 일을 모두 끝낸 다음에야 소비로 웃을 수 있었다. →
   어떤 일이 있고 난 다음에야 처음으로

5. 내침마 나무꾼은 아름다운 선녀와 결혼식을 올렸다. →
   마지막에

6. 동쪽 하늘이 붉게 되더니 윽이고 해가 뜨기 시작했다. →
   얼마쯤 시간이 지난 후에

9 띄어쓰기

낱말과 낱말 사이를 띄어 쓰는 것은 띄어쓰기의 기본 원칙이에요. 그 밖에 띄어쓰기에서 조심해야 할 내용들을 살펴보아요.

❶ **낱말과 낱말은 띄어 쓰되, '이/가, 을/를, 은/는, 의'와 같은 말은 앞말과 붙여 써야 해요.**
❷ **수를 나타내는 말과 단위를 나타내는 말은 띄어 써야 해요.**

9일
월
일

다음 문장을 바르게 띄어 써 보세요.

❶ 친 구 야 , 반 갑 다 .

친			,							

❷ 꽃 이 활 짝 피 었 다 .

꽃										

❸ 소 한 마 리 가 있 다 .

소										

❹ 연 필 두 자 루 가 있 다 .

연											

❺ 아 이 들 이 동 생 을 놀 렸 다 .

아												

10 타교과 어휘 도덕

빈칸에 알맞은 낱말을 써서 문장을 완성해 보세요.

1. 학용품을 [ㄴ][ㅂ]하는 습관을 고쳐야 한다.
   돈, 시간, 물건 따위를 헛되이 함부로 씀.

2. 숙제를 [ㅁ][ㄹ][고] 게임을 하다가 엄마에게 혼이 났다.
   일이나 정한 시간을 나중으로 넘기고

3. 이 가수의 노래가 좋다는 친구의 말에 [맞][ㅈ][ㄱ]를 쳤다.
   남의 말이 옳다고 찬성하는 말을 하는 것

4. 안 쓰는 물건들을 [ㅈ][ㄹ]해서 필요한 친구들에게 나누어 주었다.
   흐트러진 상태에 있는 것을 한데 모으거나 치움.

5. [ㄱ][똘][ㅎ] 생각하느라 친구가 나를 부르는 것도 듣지 못했다.
   온 정신을 한 가지 일에 쏟아

6. 사람들은 생산과 소비 따위의 다양한 [경][ㅈ][새][ㅎ]을 한다.
   인간 생활에 필요한 돈이나 서비스를 생산 · 분배 · 소비하는 모든 활동

❼ 물건을 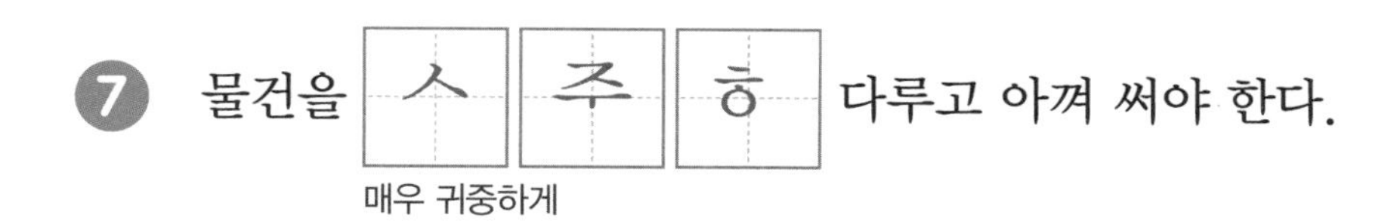

다루고 아껴 써야 한다.

매우 귀중하게

❽ 나는 끝까지 포기하지 않고 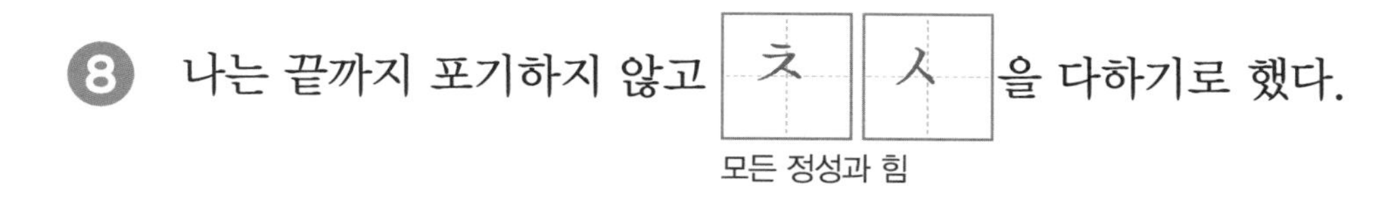

을 다하기로 했다.

모든 정성과 힘

❾ 나는 용돈을 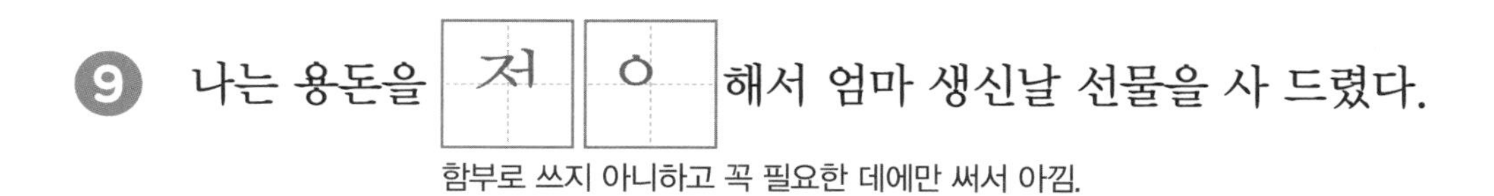

해서 엄마 생신날 선물을 사 드렸다.

함부로 쓰지 아니하고 꼭 필요한 데에만 써서 아낌.

❿ 매일 조금씩 [ㄲ] [ㅈ] [ㅎ] 걷는 것은 건강에 도움이 된다.

한결같이 부지런하고 거의 변함이 없이

⓫ 친구가 겁이 많은 내게 [ㅇ] [ㄱ] 를 주어서 자전거를 배울 수 있었다.

겁이 없고 씩씩한 기운

⓬ 나는 시간을 [ㄱ] [ㅎ] [ㅈ] 으로 사용하기 위해 생활 계획표를 짰다.

미리 정해진 계획에 따른. 또는 그런 것

어휘력을 높이는 확인 학습

다음 빈칸에 낱말을 넣어 문장을 완성하세요.

움큼
손으로 움켜쥘 만큼의 양을 세는 단위
예 아이가 과자를 한 □□ 집었다.

상대적
다른 쪽과 비교되는 관계에 있는
예 □□□으로 청팀보다 백팀이 약하다.

조랑조랑
작은 열매 따위가 많이 매달려 있는 모양
예 앵두나무에 앵두가 □□□□ 열려 있다.

머리맡
누워 있는 사람의 머리 근처
예 어젯밤에 책을 □□□에 펴 둔 채 잠이 들었다.

일상적
날마다 볼 수 있는
예 이 말은 우리가 □□□으로 많이 사용한다.

번쩍번쩍
큰 빛이 잇따라 잠깐 나타났다가 사라지는 모양
예 □□□□ 번개가 치더니 비가 쏟아지기 시작했다.

펄쩍펄쩍
힘차게 여러 번 뛰어오르는 모양
예 나는 아빠가 장난감을 사 주셔서 □□□□ 뛰며 좋아했다.

켤레
신 · 버선 · 양말처럼 두 짝을 한 벌로 하여 세는 말
예 그는 신발 가게에서 구두 한 □□를 주문했다.

기어코

결국에 가서는

예 하늘이 흐리더니 □□□ 비가 오는구나.

이윽고

얼마쯤 시간이 지난 후에

예 땅거미가 깔리더니 □□□ 밤이 되었다.

맞장구

남의 말이 옳다고 찬성하는 말을 하는 것

예 내가 이야기를 하자 친구가 □□□를 쳐 주었다.

골똘히

온 정신을 한 가지 일에 쏟아

예 그는 아까부터 계속 □□□ 생각을 하고 있었다.

절약

함부로 쓰지 아니하고 꼭 필요한 데에만 써서 아낌.

예 걸어가는 것보다 버스를 타는 것이 시간이 □□된다.

용기

겁이 없고 씩씩한 기운

예 나는 □□를 내어 그 아이에게 다가가 말을 걸었다.

낭비

돈, 시간, 물건 따위를 헛되이 함부로 씀.

예 양치질을 할 때 수도꼭지를 잠그면 물의 □□를 막을 수 있다.

깍두기

무를 네모나게 썰어서 소금에 절인 후 고춧가루 따위의 양념과 함께 버무려 만든 김치

예 엄마가 무를 잘라 □□□를 담그고 계신다.

4장 감동을 나타내요

국어 교과서 120~155쪽

1 감각적 표현

눈으로 보고, 귀로 듣고, 입으로 맛보고, 코로 냄새 맡고, 손으로 만져서 알 수 있는 느낌을 생생하게 표현하는 것을 감각적 표현이라고 해요.

다음 내용과 관련 있는 표현을 [보기]에서 찾아 써 보세요.

보기

미각 시각 청각 촉각 후각

1. 꽃 냄새가 향긋하다. → ☐ 적 표현

2. 이불이 푹신푹신하다. → ☐ 적 표현

3. 종소리가 댕댕 울린다. → ☐ 적 표현

4. 잘 익은 사과가 새빨갛다. → ☐ 적 표현

5. 수박이 무척이나 달콤하다. → ☐ 적 표현

감각적 표현을 쓰면 좋은 점입니다. 빈칸에 알맞은 낱말을 [보기]에서 찾아 써 보세요.

보기

관찰 실감 재미

10일

월

일

1. 대상의 느낌을 [ ] 나게 표현할 수 있습니다.
   실제인 것처럼 느낌

2. 대상의 느낌을 [ ] 있게 나타낼 수 있습니다.
   즐거운 기분이나 느낌

3. 감각적 표현을 말하려고 대상을 더 자세히 [ ] 할 수 있습니다.
   사물이나 현상을 주의 깊게 자세히 살펴봄.

감각적 표현으로 알맞은 것을 모두 찾아 ○표 하세요.

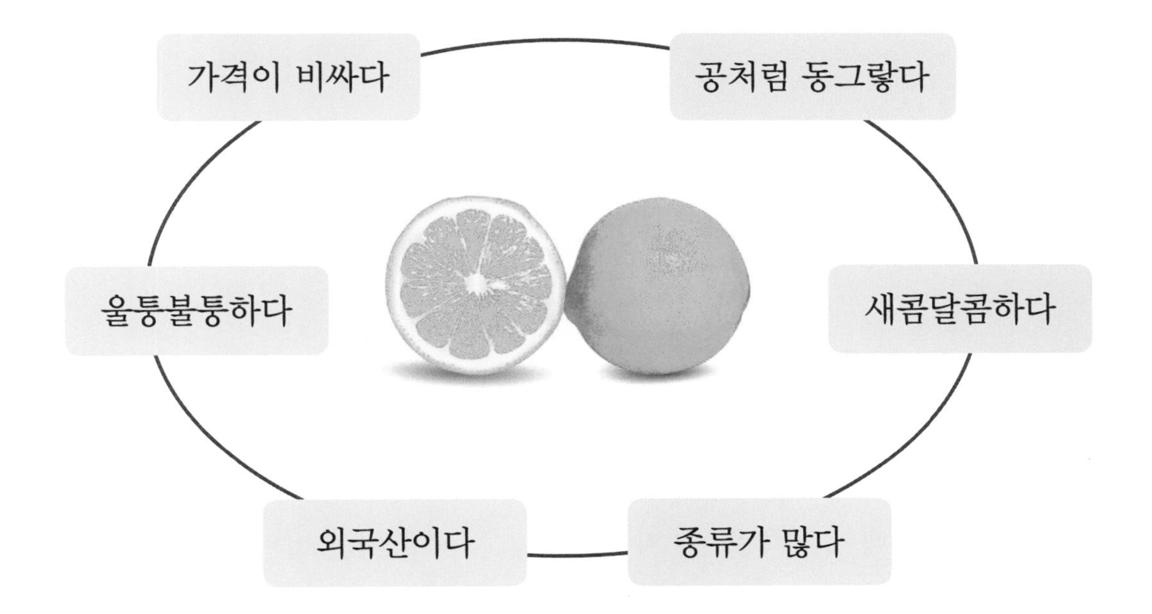

2 날짜를 나타내는 말 하루

날짜를 나타낼 때에는 한자어로 '일일, 이일'과 같이 나타내기도 하고, 고유어로 '하루, 이틀'과 같이 나타내기도 하지요.

[일일/이일] 동안 여행을 간다. → [하루/이틀] 동안 여행을 간다.
한자어 고유어

다음 날짜를 나타내는 고유어를 [보기]에서 찾아 써 보세요.

보기

사흘 나흘 닷새 엿새 이레 열흘 여드레 아흐레

1. 삼일 → ☐
2. 사일 → ☐
3. 오일 → ☐
4. 육일 → ☐
5. 칠일 → ☐
6. 팔일 → ☐
7. 구일 → ☐
8. 십일 → ☐

두 문장이 같은 뜻이 되도록 밑줄 친 낱말을 고유어로 바꿔 써 보세요.

1. 이월 팔일이 할머니의 생신날이다.
   → 이월 ☐ 가 할머니의 생신날이다.

2. 오늘은 이 동네로 이사를 온 지 십일이 되는 날이다.
   → 이 동네로 이사를 온 지 ☐ 이 되는 날이다.

3 쓰임을 바꾸는 말 −하다

'−하다'는 어떤 낱말에 붙어 움직임이나 상태를 나타내는 말로 바꾸어 주는 역할을 해요. '결심'이라는 낱말에 '−하다'가 붙으면 '굳게 마음을 정하다.'라는 뜻의 움직임을 나타내는 말로 쓰임이 바뀌어요.

결심 + -하다 → **결심하다**
이름을 나타내는 말 / 움직임을 나타내는 말

10일 ( )월 ( )일

빈칸에 알맞은 낱말을 써 보세요.

1. 마련 + −하다 = [ ]
   헤아려서 갖춤. / 헤아려서 갖추다.

2. 이야기 + −하다 = [ ]
   어떤 사실이나 생각 등에 관해 누군가에게 하는 말 / 어떤 사실이나 생각 등에 관해 누군가에게 말하다.

3. 조율 + −하다 = [ ]
   악기의 음을 표준음으로 맞춤. / 악기의 음을 표준음으로 맞추다.

4. 안내 + −하다 = [ ]
   어떤 내용을 소개하여 알려 줌. / 어떤 내용을 소개하여 알려 주다.

5. 결심 + −하다 = [ ]
   마음을 굳게 정함. / 무엇을 하기로 마음을 정하다.

6. 우중충 + −하다 = [ ]
   날씨나 분위기가 어둡고 침침한 모양 / 날씨나 분위기가 어둡고 침침하다.

4 잘못 쓰기 쉬운 말 헤엄치다

'헤엄치다'와 같은 낱말을 '해엄치다'로 잘못 쓰지 않도록 정확한 표기를 익혀 두어야 해요.

수영장에서 헤엄치다.
해엄치다(×)

밑줄 친 낱말을 알맞게 고쳐 써 보세요.

1. 꽃가루 때문에 자꾸 재체기가 난다. →

2. 먼지가 바닥으로 가라안자 뿌옇게 보였다. →

3. 간난아이가 너무 귀여워서 한참을 바라보았다. →

4. 연못 속에는 많은 물고기들이 해엄치고 있었다. →

5. 낭떨어지 아래에는 푸른 강물이 흐르고 있었다. →

6. 파도가 바위에 부디쳐서 하얀 거품을 만들고 있다. →
'부딪다'를 강조하여 이르는 말

5 자주 쓰는 말 눈이 높다

'눈이 높다'는 둘 이상의 낱말이 어울려 원래의 뜻과는 다른 새로운 뜻으로 굳어져서 쓰이는 말이에요. 이런 말을 관용어라고 해요.

그 여자는 남자를 보는 **눈이 높다.**
좋은 것만 찾다.

그는 작품을 보는 **눈이 높다.**
분별하는 능력이 좋다.

11일 월 일

빈칸에 알맞은 말을 [보기]에서 찾아 써 보세요.

보기

눈이 높다	눈에 불을 켜다	말문이 막히다
속이 타다	입만 살다	한숨을 돌리다

1. 아이의 엉뚱한 질문에 (   ).
   말이 입 밖으로 나오지 않게 되다.

2. 거짓말이 들통날까 봐 (   ).
   걱정이 되어 마음을 애태우다.

3. 바쁜 일을 끝내고 나서 (   ).
   힘겨움을 넘기고 여유를 갖다.

4. 숨겨 둔 보물을 찾으려고 (   ).
   몹시 욕심을 내거나 관심을 기울이다.

5. 좋은 예술 작품만을 골라낼 만큼 (   ).
   사물을 보고 분별하는 능력이 좋다.

6. 제대로 하는 일 없이 말만 그럴듯하게 하는 것이 (   ).
   행동은 없이 그럴듯하게 말은 잘하다.

6 소리를 흉내 내는 말 홀짝홀짝

'홀짝홀짝'은 '적은 양의 액체를 자꾸 들이마시는 소리'를 흉내 내는 말이에요. 소리를 흉내 내는 말을 쓰면 실제로 귀에 들리는 것과 같은 느낌을 전달할 수 있어요.

물을 **홀짝홀짝** 마시다.
적은 양의 액체를 자꾸 들이마시는 소리

빈칸에 알맞은 낱말을 [보기]에서 찾아 써 보세요.

보기

뚝뚝　우르르　아삭아삭　왁자지껄　홀짝홀짝　부스럭부스럭

1. 따뜻한 차를 (　　　　) 마시니 몸까지 따뜻해진다.
   적은 양의 액체를 자꾸 들이마시는 소리

2. 빗방울이 창가에 (　　　　) 떨어지는 소리가 듣기 좋다.
   작은 물방울 따위가 자꾸 아래로 떨어지는 소리

3. 쉬는 시간에 아이들이 교실에서 (　　　　) 떠들고 있다.
   여럿이 모여 시끄럽게 떠들고 지껄이는 소리

4. 사람들이 낙엽 위를 걸을 때마다 (　　　　) 소리가 났다.
   낙엽이나 종이 따위와 같은 물체를 자꾸 밟거나 만질 때 나는 소리

5. 김밥에 들어 있는 오이가 (　　　　) 씹히는 맛이 참 좋다.
   싱싱한 과일이나 채소 따위를 베어 물 때 자꾸 나는 소리

6. 하늘에서 번개가 치더니 이어서 (　　　　) 쾅쾅 하는 소리가 들렸다.
   폭포수가 쏟아져 내리거나 천둥이 울리는 소리

7 두 가지 형태가 모두 쓰이는 말 맨날

'맨날'과 '만날'은 형태는 다르지만 같은 뜻의 낱말이에요. 보통 하나의 낱말만을 표준어로 정해 두고 쓰지만, 사람들이 자주 사용하는 말은 추가로 표준어로 인정하기도 해요.

동생은 **맨날** 늦잠을 잔다.
= 만날

11일 월 일

밑줄 친 낱말과 뜻이 같은 표준어를 찾아 ○표 하세요.

1. 가뭄이 계속되자 벼가 다 말라 죽었다. → 가말 / 가물
   오랫동안 계속하여 비가 내리지 않아 메마른 날씨

2. 할머니는 심심할 때면 마실을 다니신다. → 마슬 / 마을
   이웃에 놀러 가는 일

3. 나는 돼지고기보다 소고기를 더 좋아한다. → 소게기 / 쇠고기

4. 학교 가는 길에 핀 노란 민들레가 예쁘다. → 이쁘다 / 얘쁘다

5. 서현이는 사소한 일로 삐져서 집에 가 버렸다. → 삐꿔서 / 삐쳐서

6. 밥을 할 때 찹쌀을 섞으면 밥이 차지고 맛이 좋다. → 찰지고 / 쳐지고
   끈기가 많다.

8 뜻이 여러 가지인 말 싣다

'싣다'는 '운반하기 위해 탈것 따위에 물체를 올리다.'라는 뜻 이외에도 여러 가지 뜻으로 쓰이는 낱말이에요.

차에 짐을 **싣다.** 물체를 올리다.

차에 몸을 **싣다.** 탈것에 오르다.

잡지에 글을 **싣다.** 출판물에 내다.

밑줄 친 낱말에 알맞은 뜻을 찾아 연결하세요.

1	신문에 광고를 싣다.		탈것 따위에 물체를 올리다.
2	비행기에 몸을 싣다.		이동하기 위해 차 따위에 올라타다.
3	트럭에 이삿짐을 싣다.		글이나 사진 따위를 책이나 신문 따위에 내다.
4	떡을 한 입 베다.		날이 있는 물건으로 상처를 내다.
5	마당에 있는 잡초를 베다.		칼 따위로 무엇을 자르거나 끊다.
6	연필을 깎다가 손가락을 베다.		이로 음식 따위를 끊거나 자르다.

9 주제별 어휘 연주자

'음악을 연주하는 데 쓰는 기구'인 악기에는 각각 이름이 있어요. 그 악기를 연주하는 사람을 이르는 말 역시 따로 있으니 잘 알아 두도록 해요.

그는 **피아노**를 연주하는 **피아니스트**이다.
악기 이름 / 악기 연주자

12일
월
일

빈칸에 알맞은 낱말을 써 보세요.

1  을 연주하는 사람 → 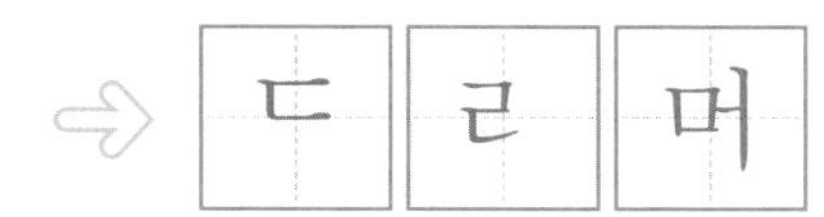

2  를 연주하는 사람 → 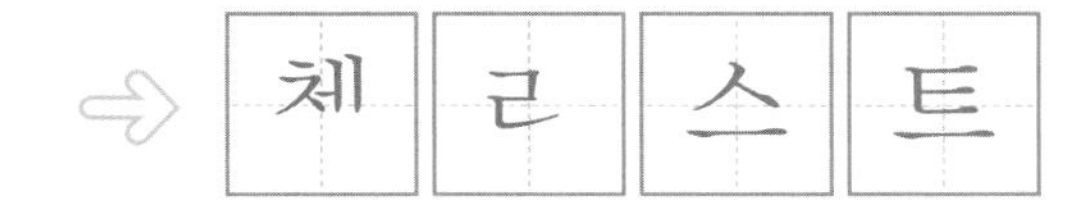

3  를 연주하는 사람 → 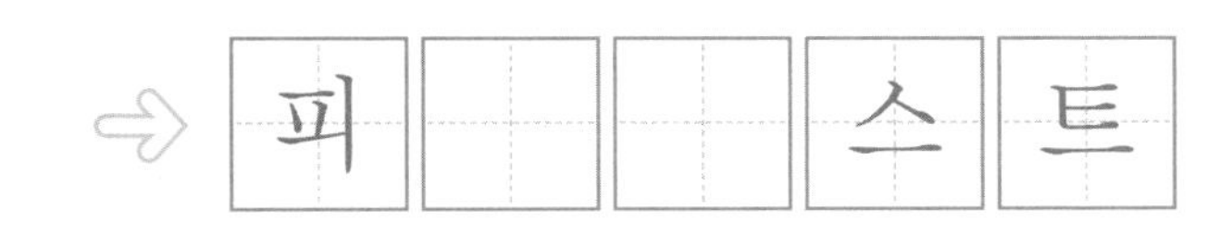

4  를 연주하는 사람 → 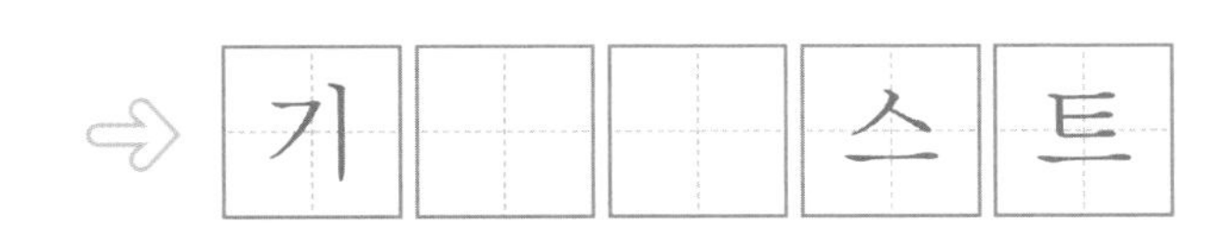

5 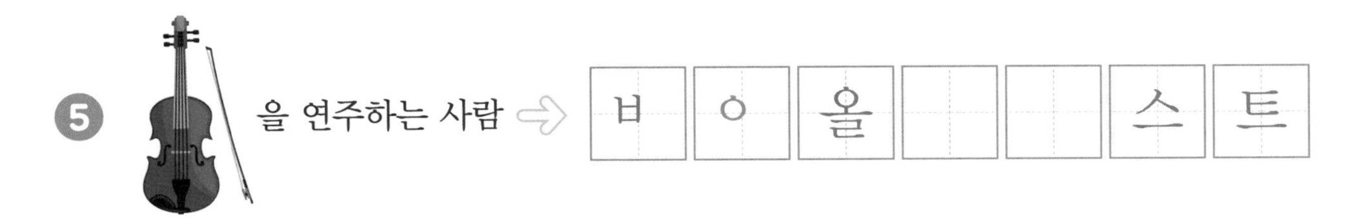

10 타교과 어휘 수학

밑줄 친 낱말에 알맞은 뜻을 찾아 연결하세요.

❶ 컴퍼스를 사용하여 종이에 큰 원을 그렸다.		수를 곱하는 셈
❷ 과일의 무게를 여러 가지 단위로 재어 보았다.		어떤 수를 다른 수로 나누는 셈
❸ 곱셈을 하기 위해서는 먼저 구구단을 외워야 한다.		알려고 하는 수를 그림으로 나타낸 그래프
❹ 나는 친구들과 귤을 나눠 먹기 위해 나눗셈을 해 보았다.		한 점에서 같은 거리에 있는 점들의 모임
❺ 자료를 한눈에 볼 수 있게 그림그래프를 통해 나타냈다.		어떤 내용을 정해진 형식과 순서에 따라 보기 좋게 나타낸 것
❻ 우리 반 학생들이 좋아하는 음식을 조사하여 표로 만들었다.		길이, 무게, 시간 따위를 비교하거나 계산할 때 기초가 되는 기준

빈칸에 알맞은 낱말을 [보기]에서 찾아 써 보세요.

보기

몫 들이 영점 나머지 반지름 자연수

1 10을 2로 나누면 [ ] 은 5이다.
어떤 수를 다른 수로 나누어 얻은 수

2 11을 2로 나누면 [ ] 는 1이다.
나누어 똑 떨어지지 아니하고 남는 수

3 지름은 원의 [ ] 의 두 배이다.
원의 중심과 원 위의 한 점을 이은 선분

4 3보다 작은 한 자리 [ ] 는 1하고 2 두 개이다.
1부터 시작하여 하나씩 더하여 얻는 수를 통틀어 이르는 말

5 여기에 있는 물병들은 [ ] 가 모두 제각각이다.
통이나 그릇 따위의 안쪽이 차지하는 부피의 크기

6 저울로 무게를 재려면 우선 저울을 [ ] 으로 맞추어야 한다.
눈금에서 0으로 표시된 점

어휘력을 높이는 확인 학습

다음 빈칸에 글자를 넣어 낱말을 완성하세요.

1 □흘	세 날
2 □흘	네 날
3 □새	다섯 날
4 □새	여섯 날
5 □련	헤아려서 갖춤.
6 □심	마음을 굳게 정함.
7 조□	악기의 음을 표준음으로 맞춤.
8 □이 타다	걱정이 되어 마음을 애태우다.
9 □□이 막히다	말이 입 밖으로 나오지 않게 되다.
10 □중□	날씨나 분위기가 어둡고 침침한 모양

정답 1. 사 2. 나 3. 닷 4. 엿 5. 마 6. 결 7. 율 8. 속 9. 말, 문 10. 우, 충

11 □리스트	첼로를 연주하는 사람
12 □□리스트	기타를 연주하는 사람
13 □점	눈금에서 0으로 표시된 점
14 □□을 돌리다	힘겨움을 넘기고 여유를 갖다.
15 □이 높다	사물을 보고 분별하는 능력이 좋다.
16 □만 살다	행동은 없이 그럴듯하게 말은 잘하다.
17 □지□	원의 중심과 원 위의 한 점을 이은 선분
18 □□그래프	알려고 하는 수를 그림으로 나타낸 그래프
19 □이	통이나 그릇 따위의 안쪽이 차지하는 부피의 크기
20 □연□	1부터 시작하여 하나씩 더하여 얻는 수를 통틀어 이르는 말

정답 11. 첼 12. 기, 타 13. 영 14. 한, 숨 15. 눈 16. 입 17. 반, 름 18. 그, 림 19. 들 20. 자, 수

5장 바르게 대화해요

국어 교과서 164~185쪽

1 높임 표현

웃어른과 대화할 때에는 공손하고 예의 바르게 말해야 해요. 또, 웃어른에게는 높임의 뜻이 있는 낱말을 사용해야 하고 사물에는 높임 표현을 사용하지 않도록 해요.

할머니 **생신** 축하해요.
생일(×)

남은 물건이 **없어요**.
없으세요(×)

다음 대화에서 알맞은 높임 표현을 찾아 ○표 하세요.

1. 나는 부모님을 (데리고 / 모시고) 학교에 갔다.

2. 할아버지, (연세 / 나이)가 어떻게 되세요?

3. 선생님, 지금 과학실에 (가는 / 가시는) 길이에요?

4. 손님, 주문하신 사과 주스 한 잔 (나오셨습니다 / 나왔습니다).

5. 손님이 찾으시는 사이즈는 (품절입니다 / 품절이십니다).

밑줄 친 표현을 알맞은 높임 표현으로 고쳐 써 보세요.

1

선생님, 내일 볼게요.

→

2

엄마께서 부엌에 있어요.

→

3

아버지, 저랑 야구 보러 가자.

→

4

할아버지께서 방에서 자고 계세요.

→

13일

월

일

2 바꿔 쓸 수 있는 말 대견하다

'대견하다'는 '마음에 들고 자랑스럽다.'라는 뜻으로 비슷한 뜻을 가진 '기특하다'와 바꿔 쓸 수 있어요.

인사를 잘해서 [대견하다 / 기특하다].
바꿔 쓸 수 있음.

밑줄 친 낱말과 바꿔 쓸 수 있는 낱말을 [보기]에서 찾아 써 보세요.

보기

기대하다 대견하다 부담하다 속상하다 애먹이다 충만하다

1. 요즘 살이 쪄서 괴롭다. → ( ) 마음이 불편하고 우울하다.

2. 올 한 해의 행복을 소망하다. → ( ) 어떤 일이 이루어지기를 바라고 기다리다.

3. 꽃 가게에 꽃향기가 가득하다. → ( ) 한껏 꽉 찬 상태에 있다.

4. 학비를 자기가 전부 책임지다. → ( ) 어떤 의무나 책임을 지다.

5. 시험을 통과한 아들이 기특하다. → ( ) 마음에 들고 자랑스럽다.

6. 아기가 밤낮으로 울어 부모 마음을 애태우다. → ( ) 속이 상할 정도로 어려움을 겪게 하다.

3 낱말 퀴즈

밑줄 친 부분의 글자 순서를 바르게 고쳐 써 보세요.

13일

월

일

❶ 철수는 손님에게 손공게하 인사를 했다.

말이나 행동이 겸손하고 예의 바르게

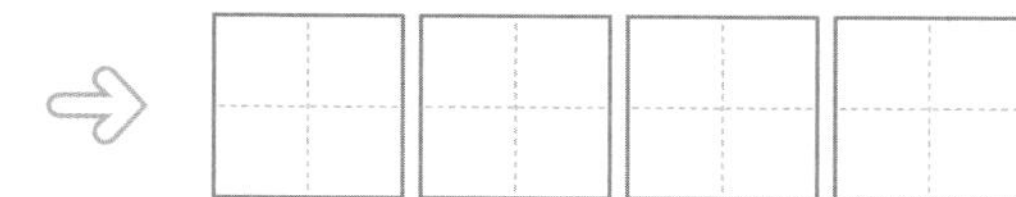

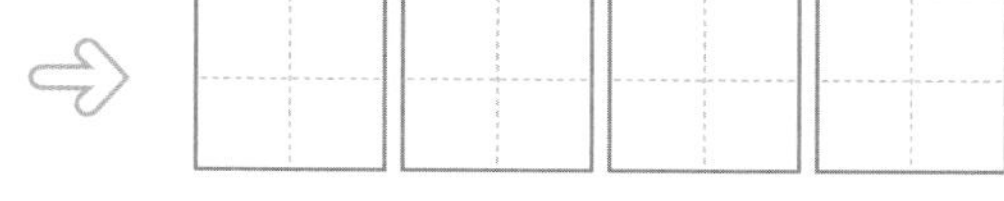

❷ 그는 자신의 권리를 당게하당 주장했다.

남 앞에 내세울 만큼 모습이나 태도가 떳떳하게

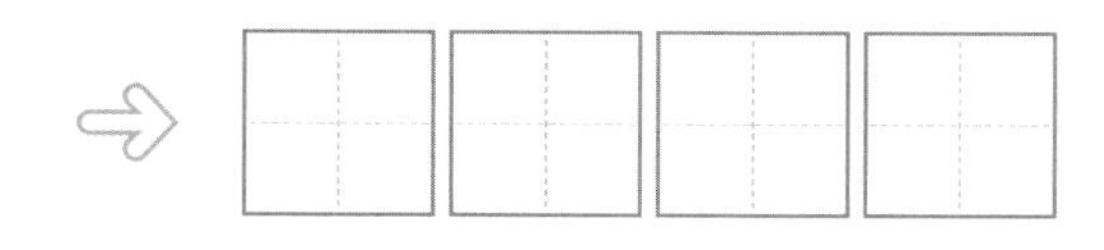

❸ 그의 만오한 성격 때문에 친구를 잃었다.

잘난 체하고 건방진

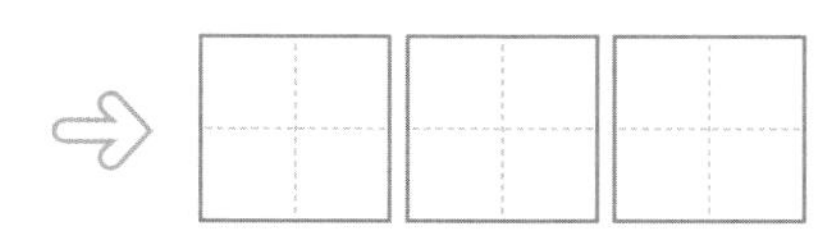

❹ 우리는 서로 하동협여 청소를 빨리 끝냈다.

서로 마음과 힘을 하나로 합하여

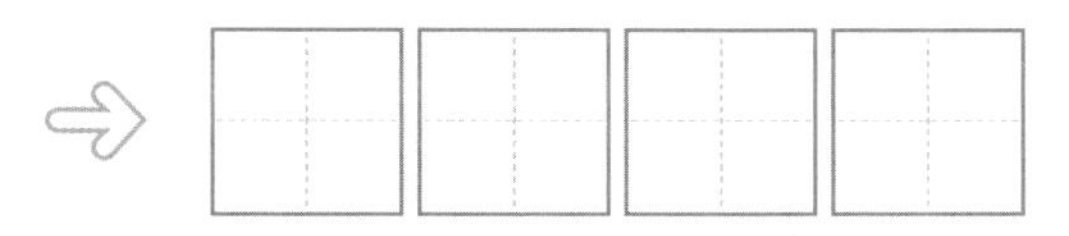

❺ 고개를 끄덕이는 걸 보니 감는공하 것 같다.

남의 의견, 감정 등에 자기도 그렇다고 느끼는

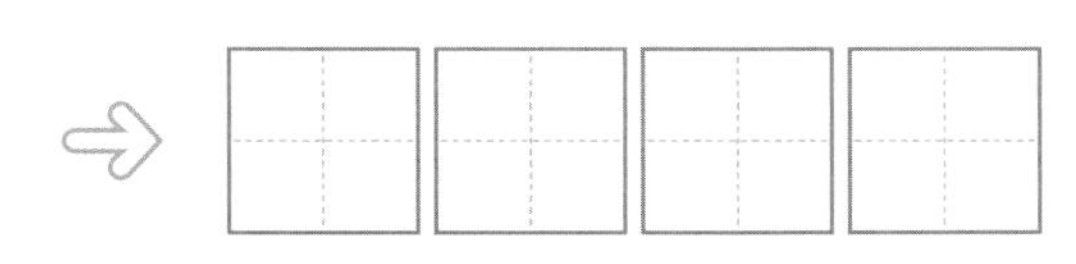

❻ 소수의 의견도 중하는존 태도를 지녀야 한다.

높이어 귀중하게 대하는

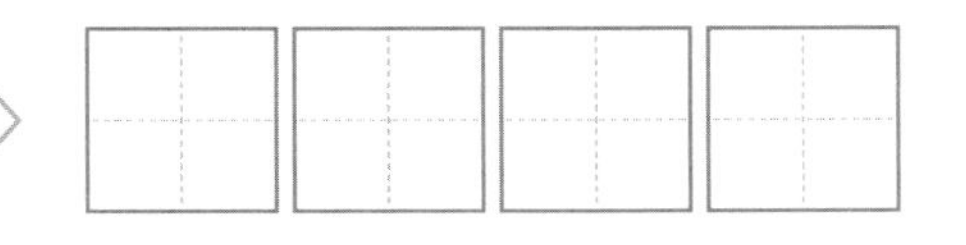

4 잘못 쓰기 쉬운 말 윗-, 웃-

'윗-'과 '웃-'은 '위'의 뜻을 더하는 말이에요. 위, 아래의 구분이 있는 경우에는 '윗-'을 쓰고 구분이 없는 경우에는 '웃-'을 써요.

윗니에 충치가 있다.
위, 아래 구분이 있음.

웃어른께 인사한다.
위, 아래 구분이 없음.

다음 문장에 알맞은 낱말을 찾아 ○표 하세요.

1. 나는 (웃입술 / 윗입술)을 깨무는 버릇이 있다.

2. 아이들이 계곡에서 (웃통 / 윗통)을 벗은 채로 뛰논다.
윗옷

3. 앉은 채로 (웃몸 / 윗몸)을 뒤로 젖혀 스트레칭을 한다.

4. 열이 많은 아이들은 차가운 (웃목 / 윗목)으로 가서 앉았다.
온돌방에서, 아궁이에서 멀고 굴뚝에 가까운 방바닥

5. 칫솔질할 때는 (웃니 / 윗니)와 아랫니를 골고루 닦아야 한다.

6. (웃어른 / 윗어른)들을 만나면 인사를 잘해야 한다.

5 형태는 같은데 뜻이 다른 말 소화

'음식물을 뱃속에서 분해하여 영양분으로 흡수함.'이라는 뜻을 가진 '소화'와 '불을 끔.'이라는 뜻을 가진 '소화'는 형태는 같지만 전혀 다른 낱말이에요.

음식을 **소화**하다.
음식물을 뱃속에서 분해하여 영양분으로 흡수함.

화재를 **소화**하다.
불을 끔.

빈칸에 공통으로 들어갈 낱말을 써 보세요.

1 ㅅ ㅎ

① 소방관들이 ☐☐ 훈련을 했다.
불을 끔.

② 벌써 음식이 ☐☐가 다 되었다.
음식물을 뱃속에서 분해하여 영양분으로 흡수함.

2 ㅍ

① 앞마당에 ☐이 많이 자랐다.
부드러운 식물을 이르는 말

② 도배를 하려고 벽지에 ☐을 발랐다.
끈끈한 물질

3 ㄱ

① 창문에 ☐이 서렸다.
수증기가 차갑게 되어 엉긴 작은 물방울

② 농부가 밭에서 ☐을 매고 있다.
논밭에 난 잡풀

4 ㄸ ㅈ

① 상처 부위에 ☐☐가 생겼다.
상처가 말라 붙어 생긴 껍질

② 쉬는 시간에 아이들이 ☐☐를 쳤다.
종이를 네모나게 접어 만든 장난감

6 올바른 발음 답답하다[답따파다]

'ㅎ'이 특정한 자음과 만나면 두 음이 합쳐져서 다른 소리로 발음 돼요. '답답하다'에서 'ㅂ'이 'ㅎ'을 만나면 [ㅍ]으로 소리가 나요.

ㅎ을 만나
답답하다 → [답따파다]
ㅂ이 [ㅍ]으로 소리가 남.

밑줄 친 낱말의 알맞은 발음을 찾아 ○표 하세요.

1. 귀여운 아이를 무릎에 앉히다. → [안치다] [안히다]
2. 옆에 앉은 사람과 간격을 넓히다. → [널피다] [너피다]
3. 꽃병에 장미 한 송이가 꽂혀 있다. → [꼬쳐] [꼬펴]
4. 힘이 약한 도전자를 응원하기로 했다. → [야간] [야칸]
5. 친구가 다른 동네로 이사를 가서 섭섭하다. → [섭써바다] [섭써파다]
6. 친구와 전화를 끊자마자 엄마로부터 전화가 왔다. → [끈짜마자] [끈차마자]

더 알아두기

'ㄱ, ㄷ, ㅂ, ㅈ' 이 앞 또는 뒤에 오는 'ㅎ'과 만나면 합쳐져서 각각 [ㅋ], [ㅌ], [ㅍ], [ㅊ]로 발음이 돼요. 이를 '거센소리'라고 해요.

7 띄어쓰기

낱말과 낱말 사이는 띄어 쓰는 것이 원칙이에요. 하지만 낱말에 붙어 그 말의 뜻을 도와주는 '은/는, 이/가' 등은 앞말과 붙여 써요.

학교 ✓ 가는 ✓ 친구

너는 나에게 좋은 친구야!

14일

월

일

띄어 써야 할 부분에 주어진 횟수만큼 ✓표 하세요.

1. 이책이재미있습니다.(2회)

2. 우리이번주에축구할래?(3회)

3. 언어예절을지키며대화한다.(3회)

4. 글씨를좀더크게써보세요.(5회)

5. 나에게물건을빌려주어서고마웠어.(3회)

6. 전화를거는사람과받는사람이있다.(5회)

8 잘못 쓰기 쉬운 말 깨끗이, 특별히

꾸며 주는 말 중에서 '이'로 끝나는 말과 '히'로 끝나는 말은 구분해서 쓸 수 있어야 해요.

손을 **깨끗이** 씻다.
깨끗히(×)

특별히 음식을 만들다.
특별이(×)

다음 문장에 알맞은 낱말을 찾아 ○표 하세요.

1. 우리는 점심을 (간단히 / 간단이) 먹고 운동장으로 달려 나갔다.

2. 탐험대는 다음 날 새벽 (일찍히 /일찍이) 다음 목적지로 향했다.

3. 많은 그림 중에서 영수의 그림이 (특별히 / 특별이) 눈에 띄었다.

4. 그는 어려운 수술을 (무사히 / 무사이) 마치고 병실에서 회복 중이다.
   아무 탈 없이 편안하게

5. 오랜만에 내 방을 (깨끗히 / 깨끗이) 청소하고 나니 기분이 좋아졌다.

6. 이 지역에는 신석기 시대의 유물들이 (고스란히 / 고스란이) 남아 있다.
   변하지 않고 그대로

9 자주 쓰는 말 손을 잡다

'손을 잡다'라는 말은 '서로의 손을 맞잡다.'의 원래 뜻도 있지만 '서로 힘을 합쳐 돕다.'라는 새로운 뜻으로도 자주 쓰여요.

친구와 **손을 잡고** 악수했다.
서로의 손을 맞잡고

서로 **손을 잡고** 함께 일하기로 했다.
서로 힘을 합쳐

15일 월 일

빈칸에 알맞은 말을 [보기]에서 찾아 써 보세요.

보기
눈에 차다 발이 넓다 발을 뻗다 손이 맵다 손을 잡다 가슴이 뜨겁다

1. 어려운 숙제를 다 하고 나서야 (   ).
걱정하거나 힘들던 일이 끝나 마음을 놓다.

2. 신라에 맞서기 위해 백제와 고구려가 (   ).
서로 힘을 합쳐 돕다.

3. 많은 연예인과 친분이 있는 저 가수는 (   ).
아는 사람이 많아 활동 범위가 넓다.

4. 올림픽에서 메달을 딴 저 선수를 생각하면 (   ).
마음의 감동이 크다.

5. 옷 가게 안의 화려하고 예쁜 옷들이 아이의 (   ).
흡족하게 마음에 들다.

6. 한번 시작한 일을 항상 완벽하게 끝내는 영수는 (   ).
일하는 것이 빈틈없고 야무지다.

10 타교과 어휘 사회

✎ 빈칸에 알맞은 낱말을 찾아 ○표 하고, 바르게 써 보세요.

❶ 단오에는 [　　　　　] 에 머리를 감는다.

창포의 잎과 뿌리를 우려낸 물

→ 포도물 / 창포물

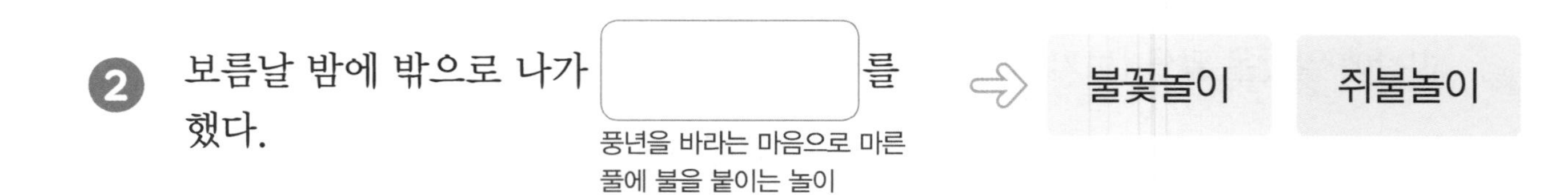

❷ 보름날 밤에 밖으로 나가 [　　　　　] 를 했다.

풍년을 바라는 마음으로 마른 풀에 불을 붙이는 놀이

→ 불꽃놀이 / 쥐불놀이

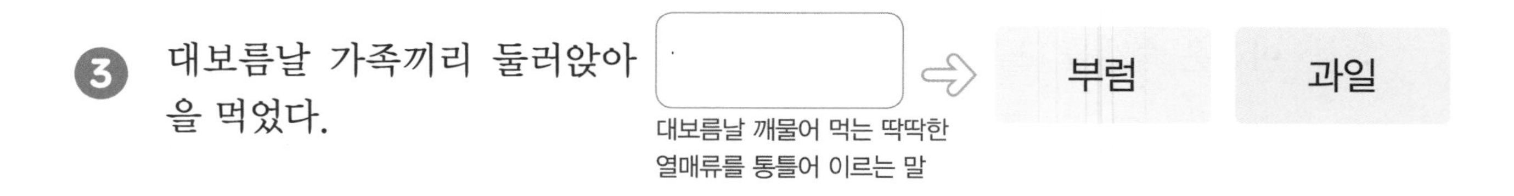

❸ 대보름날 가족끼리 둘러앉아 [　　　　　] 을 먹었다.

대보름날 깨물어 먹는 딱딱한 열매류를 통틀어 이르는 말

→ 부럼 / 과일

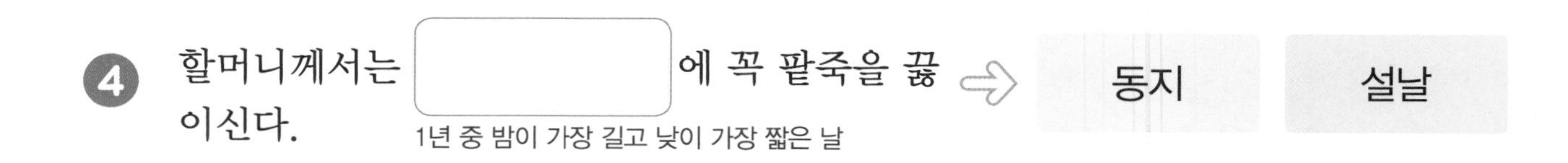

❹ 할머니께서는 [　　　　　] 에 꼭 팥죽을 끓이신다.

1년 중 밤이 가장 길고 낮이 가장 짧은 날

→ 동지 / 설날

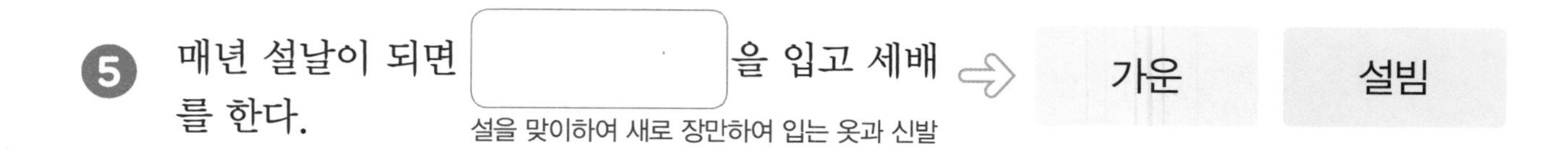

❺ 매년 설날이 되면 [　　　　　] 을 입고 세배를 한다.

설을 맞이하여 새로 장만하여 입는 옷과 신발

→ 가운 / 설빔

❻ 집안에 복이 오길 바라며 벽에 [　　　　　] 를 걸었다.

초하룻날 새벽에 벽에 걸어 놓는 조리

→ 복조리 / 국자

빈칸에 알맞은 낱말을 [보기]에서 찾아 써 보세요.

시루 베틀 가마솥 아궁이 탈곡기 트랙터

1

떡을 찌는 데 쓰는, 바닥에 구멍이 난 둥근 그릇

2

곡식의 낟알을 털어 내는 데 쓰이는 기계

3

쇠로 만든 아주 큰 솥

4

실로 삼베나 무명 등의 천을 짜는 틀

5

논밭에서 땅을 파거나 흙을 밀어내는 자동차

6

방, 가마, 솥 등을 덥히려고 불을 지피는 구멍

어휘력을 높이는 확인 학습

다음 빈칸에 낱말을 넣어 문장을 완성하세요.

충만하다

한껏 꽉 찬 상태에 있다.

예 나는 마음에 기쁨이 □□하다.

존중

높이어 귀중하게 대함.

예 가까운 사이일수록 서로를 □□해야 한다.

협동

서로 마음과 힘을 하나로 합함.

예 우리는 서로 □□하여 교실 청소를 했다.

윗목

온돌방에서, 아궁이에서 멀고 굴뚝에 가까운 방바닥

예 □□은 차가우니 아랫목에 앉아라.

오만

잘난 체하고 건방짐.

예 주머니에 손을 넣고 있는 준수의 태도가 □□하다.

공감

남의 의견, 감정 따위에 자기도 그렇다고 느낌.

예 모두들 고개를 끄덕이며 영희의 의견에 □□을 했다.

대견하다

마음에 들고 자랑스럽다.

예 선생님은 학생들이 수업 시간에 집중을 잘해서 □□했다.

웃어른

나이나 지위, 신분 따위가 자기보다 높아 직접 또는 간접으로 모시는 어른

예 □□□들께는 예의 바르게 행동해야 한다.

무사히

아무 탈 없이 편안하게

예 그는 시험을 ☐☐☐ 통과했다.

아궁이

방, 가마, 솥 등을 덥히려고 불을 지피는 구멍

예 날씨가 추워서 ☐☐☐에 불을 넣었다.

설빔

설을 맞이하여 새로 장만하여 입는 옷과 신발

예 설날에는 ☐☐을 입고 부모님께 세배를 한다.

베틀

실로 삼베나 무명 등의 옷감을 짜는 틀

예 나는 박물관에서 가로세로로 실을 짜 내는 ☐☐을 보았다.

발이 넓다

아는 사람이 많아 활동 범위가 넓다.

예 석민이는 ☐☐ ☐어 우리 학교의 학생을 거의 다 안다.

손이 맵다

일하는 것이 빈틈없고 야무지다.

예 우리 언니는 ☐☐ 매워서 한번 시작한 일은 완벽하게 해낸다.

부럼

대보름날 깨물어 먹는 딱딱한 열매류를 통틀어 이르는 말

예 정월 대보름에 우리는 ☐☐도 깨 먹고 오곡밥도 먹었다.

고스란히

변하지 아니하고 그대로

예 나는 할아버지가 주신 용돈을 한 푼도 허투루 쓰지 않고 ☐☐☐☐ 저금했다.

6장 마음을 담아 글을 써요

1 꾸며 주는 말 이미

'이미'는 다 끝나거나 지난 일을 이를 때 쓰는 말이에요. '벌써', '앞서'의 뜻을 나타내지요. 이러한 말은 다른 말을 꾸며 주는 역할을 해요.

이미 말했듯이 선생님 말씀을 잘 들어야 한다.

꾸며 줌.

빈칸에 알맞은 낱말을 [보기]에서 찾아 써 보세요.

보기

그만 당장 그제야 억지로 이윽고

① 훈련의 효과는 [　　] 나타났다.
일이 일어난 바로 직후의 빠른 시간

② 다리가 풀리면서 [　　] 그 자리에 주저앉았다.
그대로 곧

③ 아기의 등을 토닥이자 [　　] 아기는 울음을 그쳤다.
그때에 이르러서야 비로소

④ 잠을 더 자고 싶었는데 알람 소리에 [　　] 일어났다.
이치나 조건에 맞지 아니하게 강제로

⑤ 빗방울이 한두 방울 떨어지더니 [　　] 비가 세차게 내리기 시작했다.
얼마쯤 흐른 뒤에

2 잘못 쓰기 쉬운 말 돌멩이

'돌멩이'를 '돌맹이'로 잘못 쓰지 않게 주의해야 해요. 맞춤법을 틀리기 쉬운 다른 낱말들도 잘 익혀서 바르게 쓰도록 해요.

나는 잽싸게 **돌멩이**를 주워 들었다.
돌맹이(×)

16일
월
일

밑줄 친 낱말을 알맞게 고쳐 써 보세요.

1. 할머니께서 우리를 반갑게 맏이해 주셨다. →

2. 아이가 길을 가다가 돌맹이에 걸려 넘어졌다. →
돌덩이보다 작은 돌

3. 새로 태어난 강아지들은 전부 생김세가 달랐다. →

4. 영수는 약속 시간에 늦을까봐 헐래벌떡 뛰어갔다. →
숨을 가쁘고 거칠게 몰아쉬는 모양

5. 나는 달리기를 하기 전에 운동화 끈을 단단히 묶었다. →

6. 얌채같이 새치기하지 말고 줄을 바르게 서야 한다. →
부끄러움을 모르는 사람을 낮잡아 이르는 말

3 헷갈리기 쉬운 말 맞히다/맞추다

'맞히다'는 '목표에 던져 닿게 하다.', '답을 맞게 하다.'의 뜻으로 쓰이는 말이고 '맞추다'는 '바르게 붙이다.', '비교하여 살피다.' 등의 뜻으로 쓰이는 말이에요.

정답을 **맞히다**.
맞추다(×)

그림을 **맞추다**.
맞히다(×)

주어진 뜻을 참고하여 문장에 어울리는 낱말을 찾아 ○표 하세요.

맞히다	목표에 던져 닿게 하다. 답을 맞게 하다.
맞추다	제자리에 바르게 붙이다. 나란히 놓고 비교하여 살피다.

1. 깨진 조각들을 제자리에 잘 (맞추다 / 맞히다).

2. 돌을 던져 목표 지점을 정확히 (맞추다 / 맞히다).

3. 나는 수수께끼의 답을 정확히 (맞췄다 / 맞혔다).

4. 나는 시험이 끝나고 친구와 서로 답을 (맞췄다 / 맞혔다).

뒤쳐지다	물건이 뒤집혀서 안쪽이 겉으로 드러나다.
뒤처지다	능력이나 수준이 일정한 기준에 이르지 못하고 뒤떨어지다.

5. 그는 수영 실력이 남들보다 (뒤처진다 / 뒤쳐진다).

6. (뒤처진 / 뒤쳐진) 현수막을 다시 바로 하여 걸었다.

7. 민수는 친구들보다 자꾸 걸음이 (뒤처졌다 / 뒤쳐졌다).

4 바꿔 쓸 수 있는 말 추천

'추천'은 '어떤 조건에 알맞은 대상을 상대에게 알려 줌.'의 뜻으로 '소개'와 서로 바꿔 쓸 수 있어요.

친구가 나에게 재미있는 영화를 [추천 / 소개]했다.
바꿔 쓸 수 있음.

16일 월 일

밑줄 친 낱말과 바꿔 쓸 수 있는 낱말을 [보기]에서 찾아 써 보세요.

보기

맹세 사정 상의 생떼 시기 추천

1. 그는 나와 의논도 없이 자기 맘대로 결정했다. → ( )
   어떤 일에 대해 서로 의견을 주고받음.

2. 그는 어려운 처지에도 다른 사람들을 도우며 산다. → ( )
   처하여 있는 상황이나 형편

3. 연지가 소개해 준 책은 정말 감동적이고 재밌었다. → ( )
   모르는 사실이나 내용을 알려 줌.

4. 나는 두 번 다시 거짓말을 하지 않기로 다짐했다. → ( )
   마음이나 뜻을 굳게 가다듬어 정함.

5. 동생은 새로 나온 게임기를 사 달라고 억지를 부렸다. → ( )
   무리하게 하려고 하는 고집

6. 그는 자기보다 공부를 잘하는 친구에게 질투가 심하다. → ( )
   괜히 미워하고 깎아내리려 함.

5 뜻을 더하는 말 –껏

'–껏'은 다른 말의 뒤에 붙여서 '그것이 닿는데 까지' 또는 '그때까지 내내'의 뜻을 더하는 말로 혼자서는 쓰일 수 없어요.

기껏 창문을 닦았더니 비가 내린다.
힘이 닿는 데까지

빈칸에 알맞은 낱말을 [보기]에서 찾아 써 보세요.

보기

마음껏　　목청껏　　성의껏　　재주껏　　지금껏

1. 우리는 [　　　] 소리 질러 우리 편을 응원했다.
   있는 힘을 다하여 목소리를 크게

2. 그는 먼저 갈테니 [　　　] 뒤따라 오라고 말했다.
   있는 재주를 다해서

3. 친절한 안내원이 내 질문에 [　　　] 대답해 주었다.
   정성스러운 마음을 다해서

4. 우리는 자유 이용권을 사서 놀이 기구를 [　　　] 탔다.
   마음에 흡족하도록

5. 민주는 약속 시간이 한참 지난 [　　　] 나타나지 않는다.
   지금까지 내내

6 사람의 성격을 나타내는 말 솔직하다

'솔직하다'는 '거짓이나 숨김이 없이 바르다.'의 뜻으로 사람의 성격을 나타내는 말이에요. 이와 비슷한 뜻을 가진 말로는 '참되다', '정직하다', '진솔하다' 따위가 있어요.

새로 사귄 친구는 성격이 **솔직하다**.
참되다, 정직하다, 진솔하다

각 주머니의 낱말들과 비슷한 뜻을 가진 낱말을 [보기]에서 찾아 써 보세요.

보기

인색하다 상냥하다 섬세하다 쾌활하다

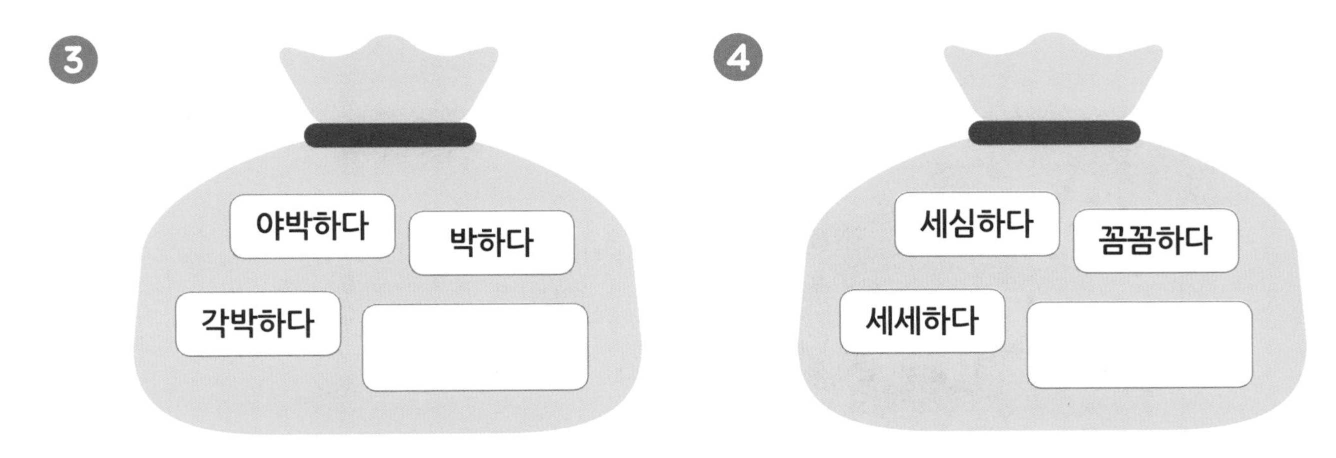

7 흉내 내는 말 쌩쌩

'쌩쌩'은 '바람이 세차게 스쳐 지나가는 소리나 모양'을 흉내 내는 말이에요.

찬바람이 쌩쌩 부는 겨울이다.
바람이 세차게 스쳐 지나가는 소리나 모양

빈칸에 알맞은 낱말을 써 보세요.

1. 

낙엽이 [ㅇ] [ㅅ] [ㅅ] 떨어진다.
물건이 한꺼번에 많이 쏟아지는 소리나 모양

2. 

여러 색의 털실이 [ㅂ] [ㅂ] 꼬여 있다.
여러 번 꼬이거나 뒤틀린 모양

3. 

강아지들이 [오] [ㄱ] [ㅈ] [ㄱ] 모여 잠을 자고 있다.
작은 것들이 많이 모여 있는 모양

8 자주 쓰는 말 손뼉을 치다

'신체'와 관련된 자주 쓰는 말이 있어요. '손뼉을 치다.'는 '손뼉을 부딪쳐 소리 나게 하다.'라는 원래의 뜻 외에 '어떤 일에 찬성하거나 좋아하다.'라는 새로운 뜻으로도 자주 쓰여요.

네가 온다면 모두가 **손뼉을 치며** 환영할 거야.
찬성하거나 좋아하며

빈칸에 알맞은 낱말을 [보기]에서 찾아 써 보세요.

보기

귀 이 코 가슴 손뼉 발바닥

1. ☐을 펴다. → 굽힐 것 없이 당당하다.
2. ☐을 치다. → 어떤 일에 찬성하거나 좋아하다.
3. ☐를 악물다. → 어렵거나 힘든 상황을 꾹 참다.
4. ☐에 불이 나다. → 아주 급하게 여기저기 돌아다니다.
5. ☐를 빠뜨리다. → 못 쓰게 만들거나 일을 망치다.
6. ☐를 기울이다. → 남의 이야기에 관심을 가지고 듣다.

9 헷갈리기 쉬운 말 -(는)대/-(는)데

어떤 말 뒤에 붙는 '-(는)대'와 '-(는)데'는 헷갈리기 쉬워요. '-(는)대'는 다른 사람에게 들을 말을 전할 때 쓰는 말이고, '-(는)데'는 말하는 사람이 예전에 겪었던 일을 말할 때 쓰는 말이에요.

민수는 곧 **도착한대**.
들은 말을 전할 때

늦게 **나왔는데** 지각은 안 했다.
겪었던 일을 말할 때

다음 문장에 알맞은 낱말을 찾아 ○표 하세요.

1. 서진이는 감기가 심해서 오늘 못 (온데 / 온대).

2. 친구를 만나러 가는 (길인데 / 길인대) 조금 늦을 것 같다.

3. 필통에 지우개가 분명히 (있었는데 / 있었는대) 어디 갔지?

4. 그 공연장에 입장하려면 오후 6시까지는 (가야한데 / 가야한대).

5. 추워진다고 해서 겉옷을 (가져왔는데 / 가져왔는대) 별로 안 춥다.

6. 발표 연습을 많이 (했는데 / 했는대) 친구들 앞에 서니 매우 떨린다.

10 원고지 쓰기 둘째 줄

원고지 쓰기에서 한 문단 안에서는 줄 끝에 띄어쓰기 칸이 남지 않더라도 다음 줄 첫 칸부터 써야 해요. 한 문단 안에서는 시작하는 첫 줄의 첫 칸만을 비우고 다음 줄은 첫 칸부터 쓰는 규칙이 있어요.

	새	로	운		문	단	이		시	작	될		때	에	만
첫		칸	을		비	워	요	.							

띄어 써야 하더라도 둘째 줄은 첫 칸부터 써야 함.

18일

월

일

다음 문장을 원고지에 띄어 써 보세요.

1 있었던일과그때자신의감정을솔직하게쓴다.

자	신	의								
		쓴	다	.						

2 상대에게하고싶은말을진심을담아부드럽게쓴다.

									싶	은
				쓴	다	.				

3 앞으로바라는점과자신의다짐을쓴다.

								쓴	다	.

11 타교과 어휘 과학

밑줄 친 낱말에 알맞은 뜻을 찾아 연결하세요.

❶ 강한 햇빛이 지표를 뜨겁게 달구었다.

❷ 이 산은 경사가 심해서 오르기가 어렵다.

❸ 뉴스에서 탐사선이 찍은 화성 사진을 보았다.

❹ 부식물은 식물이 잘 자라는 데 많은 도움을 준다.

❺ 간밤에 비가 많이 내려 마을 사람들이 높은 지대로 대피했다.

❻ 언덕 위에 올라 내려다보니 마을이 한눈에 들어왔다.

- 일정한 구역의 땅
- 지구나 땅의 겉면
- 땅이 기울어진 정도
- 땅이 주변보다 조금 높이 솟아 있는 곳
- 우주 공간에서 지구나 다른 행성들을 조사하는 일을 하는 비행 물체
- 식물의 잔뿌리, 작은 곤충들, 나뭇잎 등이 흙 속에서 오랫동안 썩어서 만들어진 물질

밑줄 친 낱말의 뜻풀이가 적절하도록 알맞은 낱말을 찾아 ○표 하세요.

1. 이 강의 강폭은 꽤 넓다.

   ⇨ 강의 (길이 / 너비)

2. 우리는 배를 타고 강의 상류로 갔다.

   ⇨ 흐르는 강이나 냇물의 (아랫부분 / 윗부분)

3. 폭포수가 절벽을 타고 떨어지고 있다.

   ⇨ 바위가 아주 높이 솟아 있는 (가파른 / 완만한) 낭떠러지

4. 퇴적 작용이 활발한 곳을 관찰해 보았다.

   ⇨ 운반된 돌이나 흙이 (깎이는 / 쌓이는) 것

5. 옥수수 알갱이를 튀겨 팝콘을 만들 수 있다.

   ⇨ 작고 동그랗고 (단단한 / 물렁한) 물질

6. 사막에서는 한 방울의 물도 매우 소중하다.

   ⇨ 비가 아주 (적게 / 많이) 내려서 동식물이 거의 살지 않고 모래로 뒤덮인 땅

어휘력을 높이는 확인 학습

다음 빈칸에 글자를 넣어 낱말을 완성하세요.

1 맞□다 — 답을 맞게 하다.

2 이□고 — 얼마쯤 흐른 뒤에

3 맞□다 — 제자리에 바르게 붙이다.

4 □의□ — 정성스러운 마음을 다해서

5 □지 — 처하여 있는 상황이나 형편

6 헐□벌□ — 숨을 가쁘고 거칠게 몰아쉬는 모양

7 □수수 — 물건이 한꺼번에 많이 쏟아지는 소리나 모양

8 □논 — 어떤 일에 대하여 서로 의견을 주고받음.

9 □체 — 부끄러움을 모르는 사람을 낮잡아 이르는 말

10 뒤□지다 — 능력이나 수준이 일정한 기준에 이르지 못하고 뒤떨어지다.

정답 1. 히 2. 윽 3. 추 4. 성, 껏 5. 처 6. 레, 떡 7. 우 8. 의 9. 얌 10. 처

11 □ 표	지구나 땅의 겉면
12 돌 □ 이	돌덩이보다 작은 돌
13 □ 지	무리하게 하려고 하는 고집
14 질 □	괜히 미워하고 깎아내리려 함.
15 □ 기 □ 기	작은 것들이 많이 모여 있는 모양
16 □ 짐	마음이나 뜻을 굳게 가다듬어 정함.
17 □ 덕	땅이 주변보다 조금 높이 솟아 있는 곳
18 절 □	바위가 아주 높이 솟아 있는 가파른 낭떠러지
19 사 □	비가 아주 적게 내려서 동식물이 거의 살지 않고 모래로 뒤덮인 땅
20 □ 식 □	식물의 잔뿌리, 작은 곤충들, 나뭇잎 등이 흙 속에서 오랫동안 썩어서 만들어진 물질

정답 11. 지 12. 멩 13. 억 14. 투 15. 옹, 종 16. 다 17. 언 18. 벽 19. 막 20. 부, 물

7장 글을 읽고 소개해요

국어 교과서 212~237쪽

1 독서 감상문

독서 감상문은 책 제목, 책을 읽은 까닭, 인상 깊은 부분, 책을 읽은 뒤에 든 생각이나 느낌 따위를 쓴 글을 말해요. 친구와 서로 독서 감상문을 바꿔 읽으면 서로의 생각을 비교하고 대화할 수 있는 좋은 기회가 돼요.

독서 감상문에 담는 내용에 알맞은 설명을 찾아 연결하세요.

① 책 내용 •	• 그 책을 어떻게 읽게 되었는지를 말하는 것
② 인상 깊은 부분 •	• 책을 읽고 나서 읽은 사람이 떠올린 생각이나 느낌
③ 책을 읽은 까닭 •	• 책에 있는 이야기의 줄거리나 책에 담긴 중요한 정보
④ 책을 읽은 뒤에 든 생각이나 느낌 •	• 읽은 사람이 책 내용 가운데에서 가장 기억에 남는 부분

2 뜻을 더하는 말 한–

'한–'은 다른 말에 붙어 '큰'이나 '정확한', '한창인'의 뜻을 더하는 말이에요.

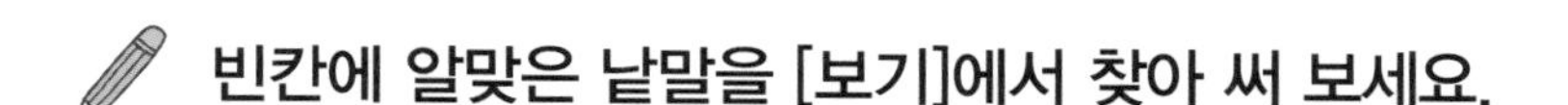

한- + 길 → 한길
큰 / 넓은 길

한- + 여름 → 한여름
한창인 / 더위가 한창인 여름

빈칸에 알맞은 낱말을 [보기]에서 찾아 써 보세요.

보기

한길　　한바탕　　한밤중　　한시름　　한여름　　한가운데

1. 택시를 잡으려고 (　　　　) 로 나갔다.
   사람이나 차가 많이 다니는 넓은 길

2. 큰 배가 바다 멀리 (　　　　) 멈춰 있다.
   공간이나 시간 등의 바로 가운데

3. (　　　　) 에 문을 두드리는 소리에 잠을 깼다.
   밤의 한 가운데. 깊은 밤

4. 쉬는 시간에 아이들은 (　　　　) 야단법석이었다.
   크게 한 판

5. 우리 가족은 (　　　　) 더위를 피해 바닷가에 갔다.
   더위가 한창인 여름

6. 엄마는 누나가 대학에 합격해서 (　　　　) 을 놓으셨다.
   큰 걱정

3 주제별 어휘 산

우리는 가끔씩 자연에서 쉼을 얻기 위해 산을 찾아요. 산속 동식물을 보며 산등성이를 따라 산을 오르다 보면 산봉우리를 지나 곧 산꼭대기에 이르게 되지요.

다음 설명에 알맞은 낱말을 그림에서 찾아 써 보세요.

❶ 산의 맨 위 ⇨

❷ 산의 등줄기 ⇨

❸ 깊고 외진 산속 ⇨

❹ 산 경사가 끝나는 평평한 부분 ⇨

❺ 산에서 뾰족하게 높이 솟은 부분 ⇨

4 띄어쓰기 체하다

'모르는 체하다.'에서 '체하다'는 앞말의 뜻을 보충해 주는 말이에요. 이러한 말들은 앞말과 띄어 쓰는 것이 원칙이지만 앞말에 붙여 적는 것이 허용돼요.

알고도 모르는 체하다. (원칙)	알고도 모르는체하다. (허용)

19일 월 일

다음 문장을 주어진 횟수에 따라 바르게 띄어 써 보세요.

1. 보고도못본체하다.(3회)

보													

2. 혼자똑똑한척했다.(2회)

혼													

3. 장난으로자는체했다.(2회)

장													

4. 못이기는체하고받았다.(3회)

못													

5. 알고도모르는체했다.(2회)

알													

잘못 쓰기 쉬운 말 1 두드리다

'두드리다'는 '소리가 나도록 연속으로 치다.'라는 뜻이에요. '두들이다'로 잘못 쓰지 않도록 주의해야 해요.

방문을 똑똑 **두드리다.**
두들이다(×)

밑줄 친 낱말을 알맞게 고쳐 써 보세요.

1. 아무 반응이 없어 다시 한번 문을 두들이다. ⇨
   소리가 나도록 연속으로 치다.

2. 의자 등받이를 뒤로 저치고 몸을 기대었다. ⇨
   뒤로 기울이고

3. 정수는 숙제를 내팽게치고 축구를 하러 갔다. ⇨
   냅다 던져 버리고

4. 너무 더워서 선수들의 체력이 한계에 다달으다. ⇨
   어디에 또는 어떤 상태에 이르다.

5. 우리가 합창 대회에서 예선 탈락한 것이 안타갑다. ⇨
   뜻대로 되지 않아 가슴이 아프고 답답하다.

6. 잠에서 깬 동생의 머리카락이 마구 헝크러져 있었다. ⇨
   가늘고 긴 실 따위가 풀기 힘들 정도로 얽혀

6 잘못 쓰기 쉬운 말 2 –ㄹ게, –ㄹ걸

'할게', '갈게' 또는 '할걸', '갈걸'과 같이 어떤 말 뒤에 붙는 '–ㄹ게', '–ㄹ걸'은 [께], [껄]로 소리 나더라도 쓸 때에는 '게', '걸'로 적어야 해요.

빨리 **갈게**.
갈께(×)

빨리 **갈걸**.
갈껄(×)

잘못된 부분에 ○표 하고, 알맞게 고쳐 써 보세요.

1. 운동 갔다 올께요. → [ ]

2. 할머니, 모셔다 드릴께요. → [ ]

3. 영수가 나보다 키가 클껄. → [ ]

4. 한 시간만 놀고 숙제를 할께요. → [ ]

5. 내일 다른 동네로 이사 갈껄요. → [ ]

6. 밤에 충분히 잠을 자 둘껄 후회되네. → [ ]

7 속담 갈수록 태산

속담은 옛날부터 사람들 사이에 전해 내려 오는 말로 소중한 교훈을 담고 있어요. 속담을 잘 활용하면 상황을 간단하고 효과적으로 표현할 수 있어요.

일이 점점 꼬여 가는 것이 **갈수록 태산**이군.
'점점 어려운 상황에 처하게 되는 경우'

빈칸에 알맞은 낱말을 찾아 연결하고, 바르게 써 보세요.

1. 갈수록 [ ]
   점점 어려운 상황에 처하게 되는 경우

2. 산에서 [ ] 잡기
   도저히 불가능한 일을 하려고 애쓴다.

3. [ ] 모아 태산
   아무리 작은 것이라도 모이고 모이면 큰 것이 된다.

4. [ ] 쫓던 개 먼 산 쳐다보듯
   애써 하던 일이 실패로 돌아가다.

5. 산에 가야 [ ]을 잡지
   방향을 제대로 잡고 노력해야 그 목적을 이룰 수 있다.

닭
티끌
태산
범
물고기

8 뜻이 반대인 말 많다 / 적다

'많다'의 반대말은 '적다'예요. '작다'라고 잘못 생각하기 쉬운데, '작다'는 '크다'의 반대말이지요.

사람이 많다. ↔ 사람이 적다.
반대의 뜻 작다(×)

20일
월
일

밑줄 친 낱말과 뜻이 반대인 낱말을 찾아 ○표 하세요.

1. 곰이 엄청나게 크다. ⇨ 적다 / 좁다 / 작다

2. 우리는 혈액형이 같다. ⇨ 틀리다 / 맞다 / 다르다

3. 그는 여행 경험이 적다. ⇨ 크다 / 많다 / 있다

4. 검산해 보니 답이 맞다. ⇨ 틀리다 / 아니다 / 다르다

5. 동생은 나보다 키가 작다. ⇨ 많다 / 크다 / 높다

6. 쌍둥이가 서로 성격이 다르다. ⇨ 틀리다 / 맞다 / 같다

9 바꿔 쓸 수 있는 말 도대체

'도대체'는 주로 부정하는 말과 함께 쓰여 '전혀' 등의 의미를 나타내는 말이에요. 이러한 말은 다른 말을 꾸며 주는 말로 '도무지', '도저히'와 바꿔 쓸 수 있어요.

그와는 [도대체 / 도무지 / 도저히] 말이 안 통한다.
바꿔 쓸 수 있음.

밑줄 친 낱말과 바꿔 쓸 수 있는 낱말을 [보기]에서 찾아 써 보세요.

보기

때때로 도무지 제각기 고스란히 난데없이

1 수수께끼의 답을 도대체 알 수가 없었다. ⇨

2 아빠는 가끔 엄마에게 선물을 사 주셨다. ⇨

3 날이 맑았는데 갑자기 소나기가 쏟아졌다. ⇨

4 이번 여행에서는 각자 도시락을 싸 오기로 했다. ⇨

5 유치원 때 그린 그림을 그대로 보관하고 있다. ⇨

10 형태는 같은데 뜻이 다른 말 길

'길'은 '사람이나 차 따위가 지나갈 수 있게 만든 곳'을 가리키는 낱말이에요. '물건을 쓰기에 익숙하게 만드는 것'을 뜻하는 낱말도 '길'이에요.

길이 넓다.	가위가 길이 들다.
지나갈 수 있게 만든 곳	쓰기에 익숙하게 만드는 것

밑줄 친 낱말에 알맞은 뜻을 찾아 연결하세요.

1	집 앞에 있는 길이 막힌다.	물건을 쓰기에 익숙하게 만드는 것
2	이 바늘은 길이 잘 들었다.	사람이나 차 따위가 지나갈 수 있게 만든 곳
3	남극에는 과학 기지가 있다.	변하는 상황에 대응하는 꾀나 지혜
4	그는 갑자기 기지를 떠올렸다.	특별한 활동을 하기 위해 근거로 삼은 장소
5	그의 인상은 우리 형과 비슷하다.	사람 얼굴의 생김새
6	책을 읽고 인상 깊은 내용을 소개했다.	어떤 대상에 대하여 마음속에 새겨지는 느낌

21일 월 일

11 타교과 어휘 도덕

빈칸에 알맞은 낱말을 써서 문장을 완성해 보세요.

① 사람은 [ㄱ][ㄷ][ㅊ] 속에서 더불어 살아가는 존재이다.

같은 이념 또는 목적을 가지고 있는 집단

② 마을 사람들은 [ㄱ][ㅇ]을 위해 서로 힘을 합치기로 했다.

공동의 이익

③ 내 동생은 주사를 맞기도 전에 아프다고 [ㅇ][ㅅ]을 피웠다.

아픔이나 괴로움을 거짓으로 꾸미거나 실제보다 부풀려서 나타냄.

④ 경수는 [ㅊ][ㅇ][ㄱ]이 강해서 반 아이들이 반장으로 뽑았다.

맡아서 해야 할 일이나 의무를 중요하게 여기는 마음

⑤ 다리를 다친 나를 잘 도와주는 민정이는 꼭 [ㅅ][ㅎ][ㅊ][ㅅ] 같다.

어려운 일이 있을 때 도움을 주는 사람을 빗대어 이르는 말

⑥ [ㄱ][ㄱ][ㅈ][ㅅ]에서는 다른 사람에게 피해가 가지 않도록 해야 한다.

도서관, 공원, 우체국 등 여러 사람이 함께 이용하는 곳

월

일

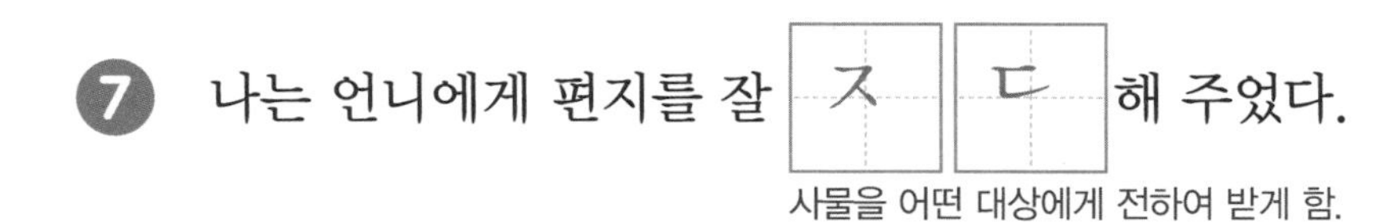

❼ 나는 언니에게 편지를 잘 [ㅈ][ㄷ]해 주었다.

사물을 어떤 대상에게 전하여 받게 함.

❽ 그는 친구에게 돈을 빌려주고 [ㅈ][ㅅ]를 받았다.

권리, 의무, 사실 등을 증명하는 문서

❾ 우리는 지금부터라도 오염된 환경을 [ㄷ][사][러][야] 한다.

죽거나 없어졌던 것을 다시 살아나거나 생겨나게 해야

❿ 우리 반 학생들이 저금통에 모은 돈은 고아원에 [ㄱ][ㅂ]할 계획이다.

다른 사람이나 기관, 단체 등을 도울 목적으로
돈이나 재산을 대가 없이 내놓음.

⓫ 늘 달리기에서 꼴찌만 하던 내가 2등을 한 것은 [ㄱ][ㅈ]에 가까운 일이다.

평범한 사람들의 지식이나 생각으로는 설명할 수
없을 만큼 이상하고 놀라운 일

⓬ 이번 경기에서 보인 약점을 [ㅂ][와]하여 다음 경기에서는 꼭 이길 것이다.

모자라거나 부족한 것을 보충하여 완전하게 함.

어휘력을 높이는 확인 학습

다음 빈칸에 낱말을 넣어 문장을 완성하세요.

한여름

더위가 한창인 여름

예 □□□이 되니 날이 푹푹 찐다.

산기슭

산 경사가 끝나는 평평한 부분

예 우리는 한동안 □□□을 헤맸다.

한시름

큰 걱정

예 마감일이 다음 주로 미뤄져서 □□□ 놓았다.

기지

변하는 상황에 대응하는 꾀나 지혜

예 위급한 상황에서 □□를 발휘했다.

산등성이

산의 등줄기

예 □□□□를 따라 올라가니 마을이 훤히 보였다.

엄살

아픔이나 괴로움을 거짓으로 꾸미거나 실제보다 부풀려서 나타냄.

예 나는 학원에 가기 싫어서 아프다고 □□을 부렸다.

한밤중

밤의 한 가운데. 깊은 밤

예 □□□에 개 짖는 소리가 들려 잠을 잘 수가 없었다.

내팽개치다

냅다 던져 버리다.

예 준호는 화가 나서 들고 있던 물건을 바닥에 사정없이 □□□쳤다.

다다르다

어디에 또는 어떤 상태에 이르다.

예 나의 체력이 한계에 [ ][ ]랐다.

다르다

두 대상이 서로 같지 않다.

예 나는 내 동생과 성격이 전혀 [ ][ ][ ].

공익

공동의 이익

예 마을 사람들은 마을의 [ ][ ]을 위해 협동했다.

난데없이

갑자기 불쑥 나타나 어디서 왔는지 알 수 없게

예 맑던 하늘에 [ ][ ][ ][ ] 비가 쏟아지기 시작했다.

틀리다

셈이나 사실 등이 그르거나 어긋나다.

예 수진이는 연극 대사를 하나도 [ ][ ]지 않고 줄줄 외웠다.

그대로

변함없이 그 모양으로

예 상자를 열어 보니 옛 사진들이 [ ][ ][ ] 들어 있었다.

공동체

같은 이념 또는 목적을 가지고 있는 집단

예 체육 대회를 통해 반 학생들이 하나의 [ ][ ][ ]로 묶였다.

보완

모자라거나 부족한 것을 보충하여 완전하게 함.

예 그 회사는 기존 제품의 문제점을 [ ][ ]하여 신제품을 내놓았다.

8장 글의 흐름을 생각해요

국어 교과서 238~267쪽

1 글의 흐름

일의 차례나 시간의 흐름, 장소의 변화에 따라 사건이 달라지는 글을 읽을 때에는 '차례, 시간, 장소'를 나타내는 말을 찾으면서 읽으면 글의 흐름을 파악하는 데 도움이 돼요.

다음 낱말들을 '차례, 시간, 장소'를 나타내는 말로 나눠 써 보세요.

첫 번째 박물관 놀이터 두 번째 오전 어젯밤 세 번째

열한 시 이튿날 학교 앞 공원

❶ 차례를 나타내는 말 : ☐, ☐, ☐

❷ 시간을 나타내는 말 : ☐, ☐, ☐, ☐

❸ 장소를 나타내는 말 : ☐, ☐, ☐, ☐

주어진 낱말의 뜻을 생각하며 쓰이는 순서대로 써 보세요.

그다음으로, 우선, 끝으로

☐ → ☐ → ☐

2 주제별 어휘 병

몸이 아플 때에는 병원을 가요. 병원에서 의사 선생님께 처방을 받아 약국에 가서 약을 지어 먹지요.

뜻에 알맞은 낱말을 찾아 연결하고, 바르게 써 보세요.

1	약을 먹음.	골절
2	뼈가 부러짐.	처방
3	병을 완전히 낫게 함.	진료
4	병을 치료하기 위해 약을 짓는 방법	증세
5	의사가 환자를 진찰하고 치료하는 일	완치
6	병을 앓을 때 나타나는 여러 가지 상태나 모양	복약

3 잘못 쓰기 쉬운 말 덥석

'갑자기 달려들어 물거나 잡는 모양'을 뜻하는 '덥석'은 [덥썩]이라고 발음되지만 '덥석'이라고 쓰는 것이 맞는 표현이에요.

덥석 손을 잡았다.
덥썩(×)

밑줄 친 낱말을 알맞게 고쳐 써 보세요.

1. 그는 눈섭 숱이 매우 많다. → ( )
   눈 위나 눈의 가장 자리를 따라 난 털

2. 설렁탕을 뚝빼기에 담았다. → ( )
   찌개나 국밥을 담는 갈색 질그릇

3. 무례한 행동은 눈쌀을 찌푸리게 한다. → ( )
   두 눈썹 사이에 잡히는 주름

4. 아침에 일어나 거울을 보고 눈꼽을 떼었다. → ( )
   눈에서 나오는 끈끈한 액체, 또는 그것이 말라 붙은 것

5. 여러 가지 색깔 실을 엮어 실 팔지를 만들었다. → ( )
   팔목에 끼는 장신구

6. 강가에 낚싯대를 던지자 물고기가 미끼를 덥석 물었다. → ( )
   갑자기 달려들어 물거나 잡는 모양

4 바꿔 쓸 수 있는 말 간단하다

'간단하다'는 '단순하고 손쉽다.'라는 뜻으로 '쉽다'와 바꿔 쓸 수 있어요. 비슷한 뜻을 가진 낱말들을 많이 알아 두면 풍부한 언어생활을 할 수 있어요.

이 일은 매우 [간단하다 / 쉽다].
바꿔 쓸 수 있음.

다음 낱말 중 의미가 가장 다른 하나를 찾아 ○표 하세요.

1. 충분하다 넉넉하다 족하다 부족하다

2. 단장하다 어지르다 가꾸다 꾸미다

3. 따뜻하다 상냥하다 냉정하다 온화하다

4. 까다롭다 쉽다 간단하다 손쉽다

5. 악독하다 흉악하다 흉흉하다 포악하다

6. 해산하다 모이다 집합하다 집결하다

5 한자로 이루어진 말 견학

'실제로 가서 보고 배우는 것'을 뜻하는 낱말인 '견학'은 한자어예요. 이와 같이 한자로 이루어진 말은 우리말의 절반 이상을 차지하고 있어요.

見(볼 견) + 學(배울 학) → 견학

밑줄 친 낱말을 따라 쓰고, 그 뜻에 해당하는 번호를 써 보세요.

1. 학교에서 방송국으로 견학을 갔다. (   )
   ① 여행의 경험을 적음.
   ② 실제로 가서 보고 배움.

2. 나는 '정직'을 좌우명으로 삼고 있다. (   )
   ① 왼쪽과 오른쪽을 함께 이르는 말
   ② 늘 곁에 두고 가르침으로 삼는 말

3. 나는 매일 아침 하루 생활의 설계를 한다. (   )
   ① 계획을 세움.
   ② 마음속에 그려 봄.

4. 그가 하는 이야기의 앞뒤 맥락이 맞지 않다. (   )
   ① 기운이나 힘
   ② 서로 이어져 있는 관계

5. 능력이 있는 신인 발굴을 위해 대회를 열었다. (   )
   ① 없던 기술이나 물건을 새로 만들어 냄.
   ② 알려지지 않은 뛰어난 것을 찾아 밝혀냄.

❻ 비둘기는 평화의 상 징 이다. (   )

① 느낌이나 생각 따위를 글이나 몸짓으로 나타냄.
② 추상적인 개념이나 사물을 구체적인 사물로 나타냄.

❼ 그 영화는 천만 관객 동 원 에 성공했다. (   )

① 생각이나 의견이 같음.
② 사람이나 물자, 수단을 한데 모음.

❽ 그는 결혼식에 간다고 복 장 에 잔뜩 신경을 썼다. (   )

① 옷차림
② 속에 품고 있는 생각

❾ 우리 가족은 계곡에 가서 물놀이로 폭 염 을 식혔다. (   )

① 매우 심한 갈증
② 매우 심한 더위

❿ 작년에 비해 물 가 가 크게 올라 생활이 어려워졌다. (   )

① 물이 있는 가장자리
② 여러 가지 상품이나 서비스의 값

⓫ 이번 태풍으로 인해 어 민 들의 피해가 무척이나 컸다. (   )

① 바다를 좋아하는 사람
② 물고기 잡는 일을 하는 사람

6 뜻을 강조하는 말 -디

'-디-'는 반복되는 말 사이를 연결하고 그 뜻을 강조해 주는 말로 쓰여요. '넓다'의 '넓-'이 반복되어 쓰일 때 두 말을 연결해 주는 '-디-'가 붙어 '넓디넓다'와 같은 말이 만들어져요.

밑줄 친 부분을 한 낱말로 바꿔 써 보세요.

1. 잘 익은 복숭아가 매우 달다. → □□□□

2. 끝없이 펼쳐진 바다가 매우 넓다. → □□□□

3. 바닥이 훤히 보일 만큼 개울이 매우 얕다. → □□□□

4. 무슨 약인지 먹지도 못할 만큼 매우 쓰다. → □□□□

5. 유명한 음식점 앞에 늘어선 줄이 매우 길다. → □□□□

6. 가을 하늘이 매우 푸르다. → 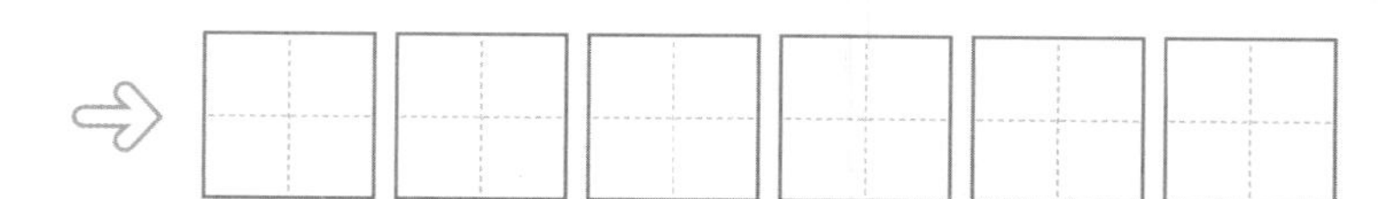

7 뜻을 더하는 말 폐-, -처

주어진 글자를 활용하여 빈칸에 알맞은 낱말을 써 보세요.

폐-	'못 쓰게 된', '다 써 버린'의 뜻을 더하는 말

1. 폐 ㅍ 을 이용해 아이들 장난감을 만들었다.
   못 쓰게 되어 버리는 물품

2. 이 공원에는 폐 ㅈ ㅊ 한 대가 전시되어 있다.
   못 쓰게 되어 버려진 전차

3. 환경 보호를 위해 폐 ㄱ ㅈ ㅈ 는 분리수거를 해야 한다.
   못 쓰게 되어 버리는 건전지

-처	'곳' 또는 '장소'의 뜻을 더하는 말

4. 이 서류는 5시까지 저 ㅅ 처 에 제출해야 한다.
   문서나 금품 등을 접수받는 곳

5. 잘못된 상품은 파 ㅁ 처 에서 교환해 주십시오.
   상품 따위를 파는 곳

6. 이 공원은 나무가 많아 도심의 ㅎ ㅅ 처 로 인기가 많다.
   잠시 쉴 수 있는 곳

23일
월
일

8 띄어쓰기 첫째 날, 이튿날

낱말과 낱말은 띄어 써야 해요. '첫째 날'은 '첫째'와 '날' 두 개의 낱말로 이루어졌으므로 띄어 써야 하지요. 하지만 '이튿날'은 '어떤 일이 있은 그다음의 날'의 뜻을 가진 하나의 낱말이므로 붙여 써야 해요.

첫째 ∨ 날 　 이튿날 　 세 ∨ 번째 　 오늘 ∨ 밤 　 옛날

다음 문장을 주어진 횟수에 따라 바르게 띄어 써 보세요.

1. 오늘밤에는달이밝다.(3회)

오												

2. 첫째날에등산을한다.(3회)

첫												

3. 세번째줄에섰다.(3회)

세												

4. 이튿날아침이밝았다.(2회)

이												

5. 옛날의모습과다르다.(2회)

옛												

9 올바른 발음 넓다[널따], 밝다[박따]

'넓다'처럼 두 개의 자음으로 이루어진 받침을 겹받침이라고 해요. 겹받침이 있는 낱말들은 표기와는 다르게 발음이 되므로 주의해야 해요.

넓다[널따]	밝다[박따]
'ㄼ'이 ㄷ과 만나 ㄹ+ㄸ으로 소리 남.	'ㄺ'이 ㄷ과 만나 ㄱ+ㄸ으로 소리 남.

밑줄 친 낱말의 알맞은 발음을 찾아 ○표 하세요.

1. 방바닥을 걸레로 닦다. → [닥따] [닦다]
   닦다: 더러운 것을 없애려고 문지르다.

2. 탁 트인 바다가 아주 넓다. → [널따] [넙따]
   넓다: 면이나 바닥 등의 면적이 크다.

3. 잘 익은 사과의 색깔이 붉다. → [북따] [불따]
   붉다: 빛깔이 빨갛다.

4. 국수를 만들기 위해 면을 삶다. → [살ː따] [삼ː따]
   삶다: 물에 넣고 끓이다.

5. 창문으로 들어오는 햇살이 밝다. → [박따] [발따]
   밝다: 불빛 등이 환하다.

6. 여기저기 많이 돌아다녀서 신발이 다 닳다. → [달따] [달타]
   닳다: 오래 쓰여서 낡아지거나 크기가 줄어들다.

10 타교과 어휘 사회

빈칸에 알맞은 낱말을 써서 문장을 완성해 보세요.

1. 그는 대학교 선생님께 [주][ㄹ]를 부탁드렸다.
   결혼식 따위의 식을 맡아 진행하는 일. 또는 그런 사람

2. 우리 이모는 전통의 방식으로 [호][ㄹ]를 치렀다.
   부부 관계를 맺는 서약을 하는 의식

3. 신랑과 신부는 [ㅎ][개]들의 축하를 받으며 입장하였다.
   축하하는 손님

4. 부모님께서는 신랑 신부에게 잘 살라고 [ㄱ][려]해 주셨다.
   용기나 의욕이 솟아나도록 북돋워 줌.

5. 결혼식을 마친 신랑과 신부는 집안 어른들께 [폐][ㅂ]을 올렸다.
   결혼식을 마친 신랑과 신부가 양쪽 집안 어른들에게 절을 하는 일

6. 그들은 결혼식을 올리고 나서 동사무소에서 [ㅎ][이] 신고를 했다.
   남자와 여자가 부부가 되는 일

7 오늘날에는 남녀의 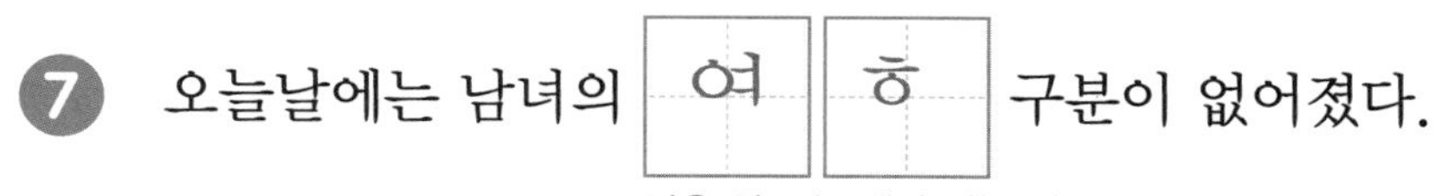

구분이 없어졌다.

맡은 일 또는 해야 하는 일

8 그들은 도시에 작은 집을 얻어 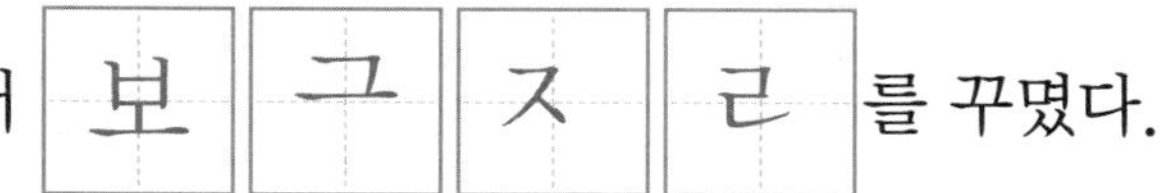

를 꾸몄다.

지내기에 매우 포근하고 아늑한 곳을 비유적으로 이르는 말

9 우리 집은 부모님과 나, 동생이 함께 사는 

이다.

한 쌍의 부부와 결혼하지 않은 자녀만으로 이루어진 가족

10 오늘날에는 개인 생활을 위해 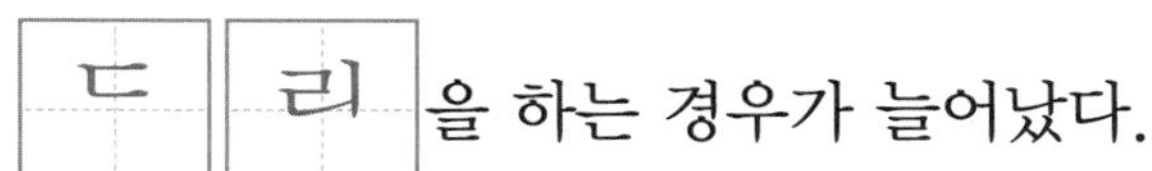

을 하는 경우가 늘어났다.

부모와 떨어져 한 집안을 이루거나 혼자 힘으로 생활함.

11 우리는 ㄱ ㅈ ㅎ ㅇ 를 통해 이번 휴가는 부산으로 가기로 정했다.

가족끼리 하는 회의

12 육이오 전쟁으로 인해 수많은 사람들이 

이 되었다.

헤어지거나 흩어져서 떨어져 사는 가족

어휘력을 높이는 확인 학습

다음 빈칸에 글자를 넣어 낱말을 완성하세요.

1 □치 — 병을 완전히 낫게 함.

2 맥□ — 서로 이어져 있는 관계

3 눈□ — 두 눈썹 사이에 잡히는 주름

4 □우□ — 늘 곁에 두고 가르침으로 삼는 말

5 덥□ — 갑자기 달려들어 물거나 잡는 모양

6 □방 — 병을 치료하기 위해 약을 짓는 방법

7 □료 — 의사가 환자를 진찰하고 치료하는 일

8 □려 — 용기나 의욕이 솟아나도록 북돋워 줌.

9 □굴 — 알려지지 않은 뛰어난 것을 찾아 밝혀냄.

10 □세 — 병을 앓을 때 나타나는 여러 가지 상태나 모양

정답 1. 완 2. 락 3. 살 4. 좌, 명 5. 석 6. 처 7. 진 8. 격 9. 발 10. 증

11 □객 — 축하하는 손님

12 휴식□ — 잠시 쉴 수 있는 곳

13 □학 — 실제로 가서 보고 배움.

14 □품 — 못 쓰게 되어 버린 물품

15 물□ — 여러 가지 상품이나 서비스의 값

16 동□ — 사람이나 물자, 수단을 한데 모음.

17 □산□족 — 헤어지거나 흩어져서 떨어져 사는 가족

18 □례 — 결혼식 따위의 식을 맡아 진행하는 일. 또는 그런 사람

19 □징 — 추상적인 개념이나 사물을 다른 구체적인 사물로 나타냄.

20 □금□리 — 지내기에 매우 포근하고 아늑한 곳을 비유적으로 이르는 말

정답 11. 하 12. 처 13. 견 14. 폐 15. 가 16. 원 17. 이, 가 18. 주 19. 상 20. 보, 자

9장 작품 속 인물이 되어

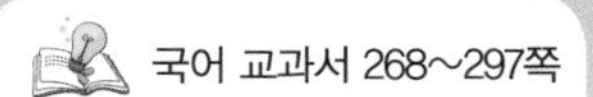
국어 교과서 268~297쪽

1 주제별 어휘 연극

'연극'은 어떤 사건이나 이야기를 인물들의 말과 동작으로 사람들에게 보여 주는 무대 예술이에요. '연극'과 관련된 낱말들을 알아 두면 연극을 이해하는 데 도움이 돼요.

빈칸에 알맞은 낱말을 [보기]에서 찾아 써 보세요.

보기

극본　무대　비극　소품　희극　역할극

1. 두 사람을 선정해 간단한 (　　　　)을 꾸몄다.
   역할을 흉내 내는 짧은 연극
2. 슬프지 않고 한동안 웃을 수 있는 (　　　　)이 좋다.
   웃음을 주는 경쾌하고 밝은 연극
3. 조명을 밝히자 두 명의 배우가 (　　　　)에 나타났다.
   노래, 춤, 연극 등의 공연을 하기 위해 마련한 자리
4. 연극을 위한 다양한 (　　　　)은 미리 준비해 두었다.
   연극 공연에 필요한 물건
5. (　　　　)으로 끝나는 전쟁 영화를 보고 가슴이 아팠다.
   슬프면서 뜻이 깊은 내용을 다룬 극
6. 배우들이 (　　　　)을 외우며 연극을 준비하느라 바쁘다.
   연극이나 영화를 만들기 위한 글

2 움직임을 나타내는 말 뛰쳐나오다

움직임을 나타내는 말을 잘 익혀 두면 이야기에서 인물의 행동을 파악하는 데 도움이 돼요. '뛰쳐나오다'는 '힘 있게 밖으로 뛰어나오다.'라는 뜻으로 '나오다'보다 강한 느낌을 줘요.

놀란 언니가 방에서 **뛰쳐나오다**.
힘 있게 밖으로 뛰어나오다.

25일
월
일

밑줄 친 낱말의 뜻이 바르게 되도록 알맞은 낱말을 찾아 ○표 하세요.

1. 산속에서 늑대가 밤새도록 울부짖었다.
   → 마구 울면서 (큰 / 작은) 소리를 내었다.

2. 희정이는 말귀를 잘 알아듣는다.
   → 남의 말을 듣고 그 뜻을 (안다 / 의심한다).

3. 수진이가 울고 있는 나에게 손수건을 내밀었다.
   → 물건을 (달라고 / 받으라고) 내어 주었다.

4. 닭이 갑자기 우리를 뛰쳐나와 마당에서 날뛰었다.
   → 힘 (없이 / 있게) 밖으로 뛰어나와

5. 동생이 내 옷소매를 잡아당겨서 옷이 찢어지고 말았다.
   → 잡아서 자기가 있는 쪽으로 (끌어서 / 밀어서)

6. 그는 적군에게 목숨만은 살려 달라고 애걸복걸하였다.
   → (씩씩하게 / 불쌍하게) 사정하며 간절히 빌었다.

3 꾸며 주는 말 잔뜩

'잔뜩'은 '정도가 심하거나 아주 많이'를 뜻하는 말이에요. 이와 같은 말들은 다른 말을 꾸며서 의미를 강조하는 역할을 해요.

지하철에 사람이 **잔뜩** 탔다.
꾸며 줌.

빈칸에 알맞은 낱말을 [보기]에서 찾아 써 보세요.

보기

마구　얼른　잔뜩　죄다　여전히　하염없이

1. 감기에 걸려서 옷을 (　　　) 껴입었다.
정도가 심하거나 아주 많이

2. 창밖에는 함박눈이 (　　　) 내리고 있었다.
별다른 생각 없이 계속되는 상태로

3. 시간이 너무 늦었으니 (　　　) 출발해야겠다.
시간을 끌지 아니하고 바로

4. 봄이 되었는데도 밤에는 (　　　) 날이 쌀쌀하다.
전과 같이

5. 공원에 사람들이 (　　　) 버린 쓰레기들이 많다.
아무렇게나 함부로

6. 비가 오자 놀이터에서 놀던 친구들이 (　　　) 집으로 돌아갔다.
남김없이 모조리

4 잘못 쓰기 쉬운 말 –려고

어떤 행동을 할 목적을 드러낼 때 쓰는 말인 '–려고'를 '–ㄹ려고' 또는 '–ㄹ라고'로 잘못 쓰지 않도록 주의해야 해요.

자리에서 일어나려고 한다.
일어날려고(×), 일어날라고(×)

25일
월
일

밑줄 친 낱말을 알맞게 고쳐 써 보세요.

1

밥을 먹을려고 손을 씻었다.

→ 

2

만화 영화를 볼려고 텔레비전을 켰다.

→ 

3

학교에 지각을 하지 않을라고 뛰었다.

→ 

4

형은 등산을 갈라고 가방을 챙기고 있다.

→

5 수를 나타내는 말 한둘

우리말에는 '하나, 둘, 셋…'처럼 수를 나타내는 말이 있어요. '한둘', '두셋'과 같은 말은 '하나나 둘쯤', '둘이나 셋쯤'처럼 확실하지 않은 수를 나타낼 때 쓰는 말이에요.

하나나 둘쯤 → 한둘
준말

다음 밑줄 친 부분을 하나의 낱말로 바꿔 써 보세요.

1. 길가에 학생 셋이나 넷쯤이 몰려 있었다. → ㅅ ㄴ
2. 친척들 넷이나 다섯쯤이 모여 앉아 있다. → ㄴ 대
3. 집에 간 친구들이 둘이나 셋쯤은 되는 것 같다. → ㄷ ㅅ
4. 이번 모임에서 아이들 여섯이나 일곱쯤이 빠졌다. → ㅇ ㄴ 고
5. 학생들 다섯이나 여섯쯤이 오고 있는 게 보인다. → ㄷ ㅇ 서
6. 경시대회에 나갈 지원자가 하나나 둘쯤은 있을 것 같다. → ㅎ ㄷ

6 한자성어 자신만만

네 개의 한자로 이루어져 자주 쓰이는 글귀를 '한자성어' 또는 '사자성어'라고 해요. 옛이야기(고사)가 배경이 되는 경우에는 '고사성어'라고 부르기도 하지요.

자신만만 = 自(스스로 자) + 信(믿을 신) + 滿(찰 만) + 滿(찰 만)

빈칸에 알맞은 한자성어를 [보기]에서 찾아 써 보세요.

보기

동문서답 백발백중 일석이조 자신만만 작심삼일

1. 재미있었냐는 질문에 배고프다며 [　　　　]만 하고 있다.
   질문과는 전혀 상관없는 엉뚱한 대답

2. 축구 시합에 나가는 친구들이 모두 [　　　　]한 표정이다.
   매우 자신이 있음.

3. 자전거 타기는 재미도 있고 건강에도 좋으니 [　　　　]이다.
   동시에 두 가지 이득을 봄.

4. 그 점쟁이는 내게 일어난 일들을 [　　　　]으로 알아맞혔다.
   어떤 계획이나 예상 등이 꼭꼭 들어맞음.

5. 매일 한 시간씩 운동하기로 했는데 [　　　　]로 끝나고 말았다.
   결심한 것이 사흘을 가지 못해 마음이 단단하지 못함을 이름.

7 뜻이 여러 가지인 말 1 손

하나의 낱말이 여러 가지 의미를 가지고 있는 경우가 있어요. 대표적인 예로, '손'이라는 낱말은 신체의 일부를 가리키는 기본적인 의미 외에 다른 의미도 가지고 있지요.

다음 문장에 쓰인 낱말에 알맞은 뜻을 찾아 연결해 보세요.

1. 떠나는 삼촌에게 손 을 흔들었다. • • 일하는 사람
2. 그 일은 무척 손 이 많이 간다. • • 팔목 끝에 달린 신체 일부분
3. 그는 바쁜 날에도 손 을 빌리지 않고 혼자 일했다. • • 일을 하는 데 드는 사람의 힘이나 노력, 기술

4. 양말에 구멍 이 생겼다. • • 허점이나 약점
5. 그 선수가 부상을 당해 팀 조직력에 구멍 이 생겼다. • • 뚫어지거나 파낸 자리

8 뜻이 여러 가지인 말 2 그늘

'그늘'이라는 낱말은 기본적으로 '햇빛이 가려진 어두운 부분'이란 뜻으로 쓰여요. 이런 의미에서 조금 달라져 '근심이나 불행으로 어두워진 마음'을 가리키는 말로도 쓰이지요.

빈칸에 공통으로 들어갈 낱말을 써 보세요.

1 ㅅ ㄱ

① 졸업 후에는 세상의 빛과 ____이 되길 바랍니다.
꼭 필요한 사람을 비유하는 말

② 김장 김치를 만들 때에는 먼저 배추를 ____에 절여야 한다.
짠맛을 내는 하얀 가루

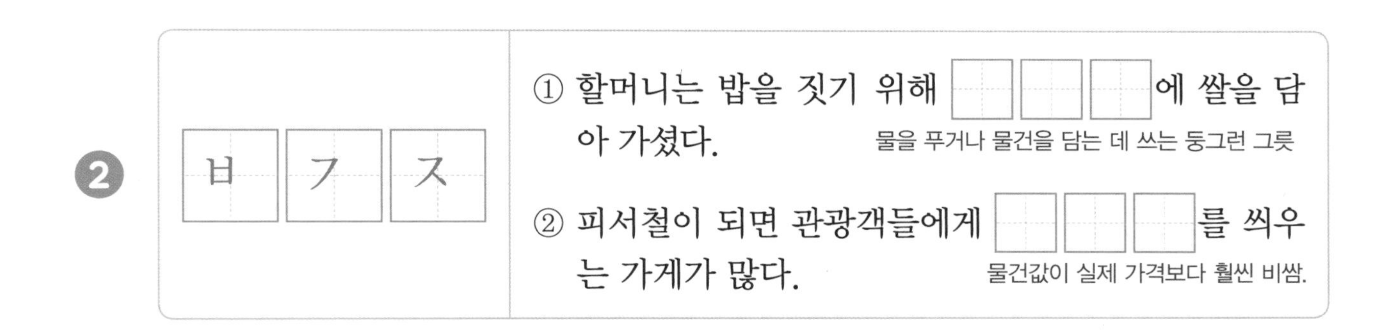

2 ㅂ ㄱ ㅈ

① 할머니는 밥을 짓기 위해 ____에 쌀을 담아 가셨다.
물을 푸거나 물건을 담는 데 쓰는 둥그런 그릇

② 피서철이 되면 관광객들에게 ____를 씌우는 가게가 많다.
물건값이 실제 가격보다 훨씬 비쌈.

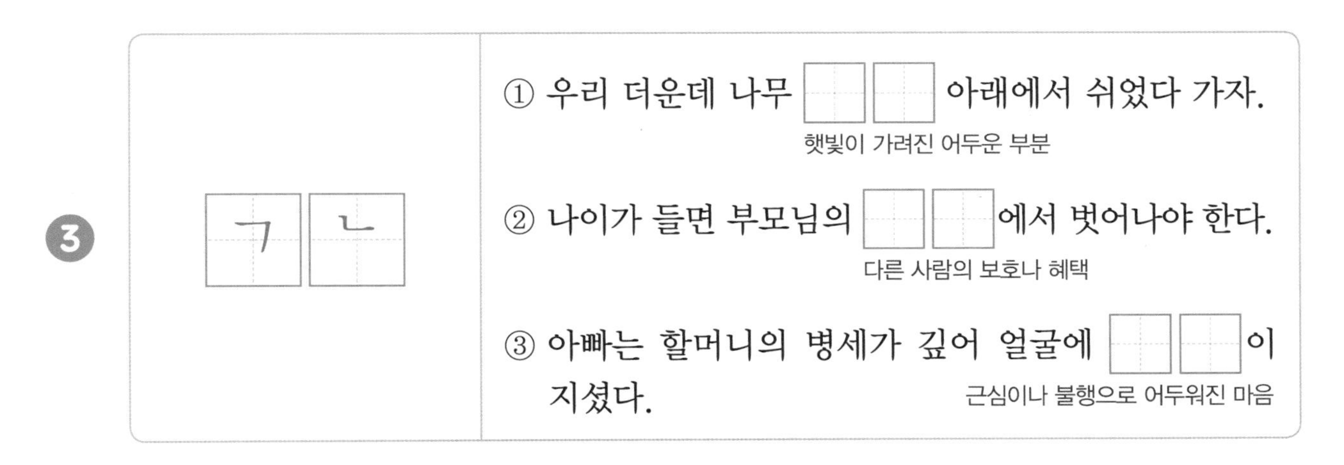

3 ㄱ ㄴ

① 우리 더운데 나무 ____ 아래에서 쉬었다 가자.
햇빛이 가려진 어두운 부분

② 나이가 들면 부모님의 ____에서 벗어나야 한다.
다른 사람의 보호나 혜택

③ 아빠는 할머니의 병세가 깊어 얼굴에 ____이 지셨다.
근심이나 불행으로 어두워진 마음

9 뜻이 반대인 말 마중/배웅

'마중'은 '오는 사람을 나가서 맞이함.'이라는 뜻이고, '배웅'은 '떠나가는 사람을 따라가서 작별하여 보냄.'이라는 뜻이에요. 따라서 '마중'과 '배웅'은 뜻이 서로 반대인 말이에요.

미국에서 오는 친구를 마중하다. ↔ 미국에 가는 친구를 배웅하다.

밑줄 친 낱말과 뜻이 반대인 낱말을 써 보세요.

1. 연지는 공부 좀 잘한다고 거만하다. → 겨 ㅅ
   잘난 체하며 남을 얕잡아 보는 태도가 있음.

2. 올해는 흉년이 들어 쌀값이 엄청 올랐다. → ㅍ ㄴ
   농사가 잘 되지 않은 해

3. 반 대항 피구 경기는 우리 반의 승리로 끝났다. → ㅍ ㅂ
   겨루어서 이김.

4. 윤수의 말이 농담인 줄 알면서도 기분이 나빴다. → ㅈ ㄷ
   실없이 놀리거나 장난으로 하는 말

5. 주인공은 연극의 마지막 부분에서 멋지게 퇴장을 했다. → ㅇ ㅈ
   연극 무대에서 등장인물이 무대 밖으로 나감.

6. 시골에 계시는 할머니가 오셔서 기차역으로 마중을 나갔다. → ㅂ ㅇ
   오는 사람을 나가서 맞이함.

10 형태가 변하는 말 걷다

'걷다'의 '걷-'은 '-으면서'와 같이 모음으로 시작하는 말과 만나면 '걸으면서'처럼 형태가 변해요.

'으'를 만나
걷다 → 걷- + -으면서 → 걸으면서
ㄷ이 ㄹ로 바뀜.

주어진 낱말을 빈칸에 알맞은 형태로 바꿔 써 보세요.

걷다

1. 나는 지금 길을 [ ] 고 있다.
2. 어제 엄마와 함께 산책 길을 [ ] 었 다.
3. 우리 같이 [ ] 으 면 서 이야기하자.

묻다

4. 나 대신 점원에게 [ ] 어 봐 줘.
5. 지나가는 사람에게 길을 [ ] 었 다.
6. 진아가 민수에게 숙제를 했는지 [ ] 고 있었다.

밑줄 친 낱말에 알맞은 뜻을 찾아 연결하세요.

❶	물이 얼면 고체인 얼음이 된다.	• •	누렇고 거무스름한 흙
❷	물이 끓어 기체로 증발하였다.	• •	이부자리나 베개 등과 같이 잠을 잘 때 쓰는 것
❸	얼음이 녹으면 액체인 물이 된다.	• •	물이나 기름같이 일정한 형태가 없으며 흐르는 성질이 있는 물질
❹	잠에서 깨자마자 침구를 정리하였다.	• •	일정한 굳은 모양과 부피를 가지고 있어서 만지고 볼 수 있는 물질
❺	이 건물은 벽이 대리석으로 만들어졌다.	• •	주로 조각이나 건축에 많이 쓰이고 하얀 색을 띠며 자른 면이 매끄러운 돌
❻	큰삼촌은 건강을 위해 황토로 집을 지었다.	• •	김이나 공기처럼 일정한 모양이나 부피가 없고 자유롭게 움직이는 물질

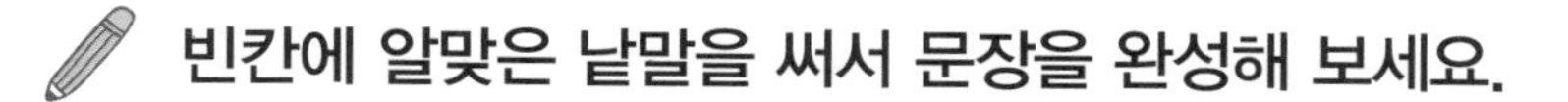

빈칸에 알맞은 낱말을 써서 문장을 완성해 보세요.

1. 그는 목표물을 정확히 [ㅈ][주] 한 뒤에 방아쇠를 당겼다.
   목표물에 정확히 맞도록 방향과 거리를 조절함.

2. 어디선가 [ㅅ][으] 이 들려와 공부에 집중을 할 수가 없다.
   불쾌하고 시끄러운 소리

3. 내 목소리를 [노][ㅇ] 하여 다시 들어 보니 이상하게 들렸다.
   소리를 저장함.

4. 놀이공원에서 [ㄹ][이][ㅈ] 쇼를 보았는데 불빛이 참 예뻤다.
   빛 에너지를 한 줄기로 뭉쳐서 강하게 내쏘는 장치

5. 음악실에는 [바][ㅇ][ㅂ] 이 있어 소리가 새어 나가지 않는다.
   소리가 새어 나가거나 새어 들어오는 것을 막기 위해서 설치한 벽

6. 과학 시간에 온도계를 가지고 여러 곳의 온도를 [츠][ㅈ] 해 보았다.
   양, 크기, 성질 등을 장치로 재는 것

27일
월
일

어휘력을 높이는 확인 학습

다음 빈칸에 낱말을 넣어 문장을 완성하세요.

소품

연극 공연에 필요한 물건

예 연극이 끝나자 배우들은 □□을 챙겼다.

측정

양, 크기, 성질 등을 장치로 재는 것

예 신체검사를 위해 몸무게를 □□하였다.

조준

목표물에 정확히 맞도록 방향과 거리를 조절함.

예 그는 목표물에 □□을 한 뒤 총을 쏘았다.

녹음

소리를 저장함.

예 나는 연주를 □□해서 다시 들어 보며 연습을 한다.

희극

웃음을 주는 경쾌하고 밝은 연극

예 나는 어두운 비극보다는 밝고 즐거운 □□이 더 좋다.

하염없이

별다른 생각 없이 계속되는 상태로

예 나는 친구와 □□□□ 수다를 떨며 시간을 보냈다.

애걸복걸하다

불쌍하게 사정하며 간절히 빌다.

예 그는 강도에게 살려 달라고 □□□□했다.

동문서답

질문과는 전혀 상관없는 엉뚱한 대답

예 선생님의 질문에 민지가 □□□□을 해서 아이들이 모두 웃었다.

풍년

곡식이 잘 자라고 잘 여물어 수확이 많은 해

예 올해는 ☐☐이 들어 식량이 충분하다.

그늘

근심이나 불행으로 어두워진 마음

예 현준이는 무슨 일이 있는지 얼굴에 ☐☐이 졌다.

액체

물이나 기름같이 일정한 형태가 없으며 흐르는 성질이 있는 물질

예 물은 투명하고 냄새가 없는 ☐☐이다.

진담

진심에서 우러나온 거짓 없는 참된 말

예 그는 농담을 하지 않고 항상 ☐☐만 해서 믿음이 간다.

바가지

물건값이 실제보다 훨씬 비쌈.

예 상인은 어리숙해 보이는 사람에게 ☐☐☐을 씌웠다.

일석이조

동시에 두 가지 이득을 봄.

예 과일은 맛도 좋고 건강에도 좋으니 ☐☐☐☐이다.

구멍

허점이나 약점

예 실력이 좋은 우리 팀의 ☐☐이 되지 않으려고 열심히 연습을 했다.

방음벽

소리가 새어 나가거나 새어 들어오는 것을 막기 위해서 설치한 벽

예 아파트에 ☐☐☐을 설치한 후로 전보다 훨씬 조용해졌다.

MEMO

미래를 생각하는

(주)이룸이앤비

이룸이앤비는 항상 꿈을 갖고 무한한 가능성에 도전하는 수험생 여러분과 함께 할 것을 약속드립니다.
수험생 여러분의 미래를 생각하는 이룸이앤비는 항상 새롭고 특별합니다.

내신·수능 1등급으로 가는 길

이룸이앤비가 함께합니다.

이룸이앤비 

인터넷 서비스

- 이룸이앤비의 모든 교재에 대한 자세한 정보
- 각 교재에 필요한 듣기 MP3 파일
- 교재 관련 내용 문의 및 오류에 대한 수정 파일

라이트수학

숨마쿰라우데®

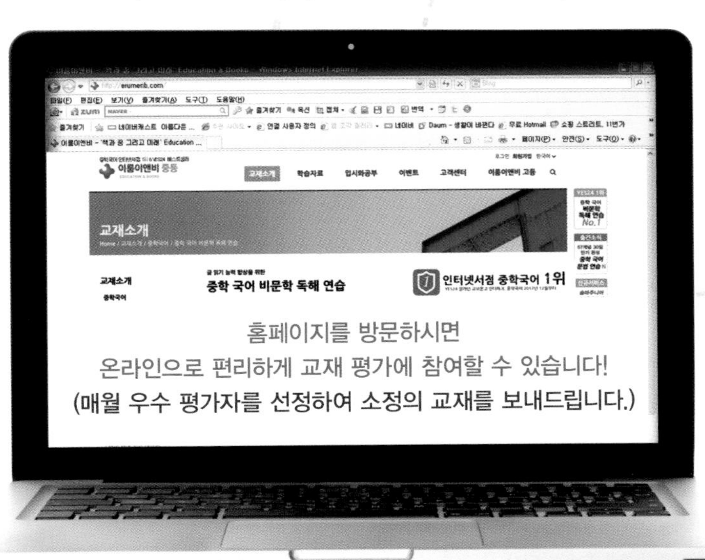

홈페이지를 방문하시면
온라인으로 편리하게 교재 평가에 참여할 수 있습니다!
(매월 우수 평가자를 선정하여 소정의 교재를 보내드립니다.)

굿비 좋은 시작, 좋은 기초

미래로 수능기출총정리

글 읽기 능력이 향상되면

모든 공부의 **자신감**도 **향상**됩니다.

신간

글 읽기 능력 향상을 위한
초등국어 독해왕
1 단계
2 단계
다양한 글들을
쉽고 재미있게
공부하다 보면
독해왕이 됩니다!!!

숨마어린이

초등국어 **독해왕** 시리즈

1단계/2단계/3단계/4단계/5단계/6단계 (전 6권)

숨마 어린이®

정답 및 해설

눈으로 보는 정답 및 도움말

▸ 학생 지도 자료로 활용할 수 있습니다.

초등국어 어휘력 향상을 위한

어휘왕

3-2

1장 작품을 보고 느낌을 나누어요

국어 교과서 34~65쪽

1 인물의 성격

인물의 표정, 몸짓, 말투에 주의하며 작품을 감상하면 인물의 마음을 잘 짐작할 수 있어요.

밑줄 친 부분이 인물의 표정, 몸짓, 말투 중 어느 것에 해당하는지 써 보세요.

성태가 지나가며 내 책상을 건드리는 바람에 내가 아끼는 필통이 교실 바닥에 떨어졌다. 나는 눈썹을 치켜세우고* 성태를 노려보며 소리쳤다.
"뭐 하는 거야?"
성태는 내 고함 소리에 놀라 고개를 돌리고 나를 향해 통명스럽게* 말했다.
"내가 그런 거 맞아?"

* 치켜세우다: 옷깃이나 눈썹 따위를 위쪽으로 올리다. * 통명스럽다: 못마땅한 듯 하는 말이나 태도가 무뚝뚝하다.

도움말▲ 같은 말을 하더라도 표정, 몸짓, 말투에 따라 뜻이 다르게 전달될 수 있어요.

1 표정을 나타내는 말 ⇨ 눈썹을 치켜세우고

2 몸짓을 나타내는 말 ⇨ 고개를 돌리고

3 말투를 나타내는 말 ⇨ 통명스럽게

빈칸에 알맞은 낱말을 써 보세요.

1 인물의 표정, 몸짓, 말투에서 작품의 [재][미]를 느껴요. (즐거운 기분이나 느낌)

2 인물의 표정, 몸짓, 말투가 작품의 [상][황]에 알맞은지 살펴봐요. (일이 진행되어 가는 형편이나 모양)

2 정도를 나타내는 말 맛

어떤 사물의 특징을 정확히 설명하려면 그에 알맞은 표현이 필요해요. 맛을 표현할 때, '달다'라고 표현할 수도 있지만 '달콤하다', '감미롭다'와 같이 다르게 표현할 수도 있어요.

맛이 [달다 / 달콤하다 / 감미롭다].

다음 중 성격이 가장 다른 낱말 하나를 찾아 ○표 하세요.

맛

1	달다	(달구다)	달콤하다	감미롭다
2	떫다	(떨구다)	떠름하다	떨떠름하다

굳기

3	딱딱하다	단단하다	딴딴하다	(똑똑하다)
4	(무디다)	물렁하다	물컹하다	말랑하다

도움말▲ '무디다'는 '칼이나 송곳 따위의 끝이나 날이 날카롭지 못하다.'라는 뜻이에요.

속도

5	빠르다	(날뛰다)	날쌔다	날렵하다
6	더디다	(더하다)	느리다	느릿하다

3 자주 쓰는 말 허리를 펴다

'허리를 펴다'라는 말은 '허리를 곧게 세우다.'라는 말로 이해할 수 있어요. 그런데 이와 같은 말은 원래의 뜻 외에도 '어려운 때를 넘기고 편하게 지내다.'라는 새로운 뜻으로 쓰이기도 해요.

가난에서 벗어나 드디어 허리를 펴다. (편하게 지내다.)

밑줄 친 말의 뜻에 해당하는 번호를 써 보세요.

1 옆에 있는 사람에게 말을 붙이다. (①)
① 말을 걸다.
② 말꼬리를 잡고 늘어지다.

2 어려웠던 사업이 잘 되어 허리를 펴다. (①)
① 어려운 때를 넘기고 편하게 지내게 되다.
② 생김새가 나이에 비해 몰라보게 젊어지다.

3 밤새 게임을 하느라고 시간 가는 줄 모르다. (②)
① 당황하여 몹시 서두르다.
② 어떤 일에 빠져 시간이 어떻게 지났는지 알지 못하다.

4 맛있는 음식이 잔뜩 차려진 것을 보니 군침이 돌다. (②)
① 음식을 보고 귀찮은 마음이 들다.
② 음식을 먹고 싶어 하는 마음이 들다.

도움말▲ '군침이 돌다'는 '이익이나 재물에 욕심이 생기다.'라는 뜻으로도 쓰여요.

5 주저리주저리 핑계를 대다가 할 말이 없어 입을 다물다. (①)
① 말을 하지 않거나 하던 말을 그치다.
② 감당할 수 없이 매우 화를 내며 빼치다.

4 짝을 이루는 말 결코

꾸며 주는 말 중에는 앞말을 부정하는 뜻을 나타내는 말과 짝을 이루어 쓰이는 것들이 있어요. '결코', '도저히' 따위의 낱말들은 '~ 않다', '~ 못하다' 따위의 말과 함께 사용돼요.

그는 결코 그때를 잊지 못한다. (짝을 이룸.)

빈칸에 알맞은 낱말을 [보기]에서 찾아 써 보세요.

보기: 결코 별로 여간 그다지 도저히

1 이번 일에 실수는 [결코] 없을 것이다. (어떤 경우에도 절대로)

도움말▼ '그다지'와 '별로'는 비슷한 의미를 가지고 있어요.

2 그것은 나에게 [그다지] 문제가 되지 않는다. (그러한 정도로는. 또는 그렇게까지는)

3 그가 무슨 생각을 하는지 [도저히] 알 수가 없다. (아무리 하여도)

4 혼자 아이를 돌보는 것은 [여간] 힘든 일이 아니다. (보통의 정도로)

5 그렇게 말대꾸하는 것은 [별로] 도움이 되지 않는다. (이렇다 하게 따로)

5 표정을 나타내는 말 찡그리다

'찡그리다'와 같은 말은 얼굴의 표정을 나타내는 말이에요. '얼굴에 주름이 생기게 하다.'라는 뜻의 '찡그리다'는 몹시 마음이 좋지 않은 상태일 때 쓰여요.

안타까운 마음에 얼굴을 **찡그리다.**
마음이 좋지 않은 표정을 표현

✎ 다음 낱말에 어울리는 표정을 찾아 연결하세요.

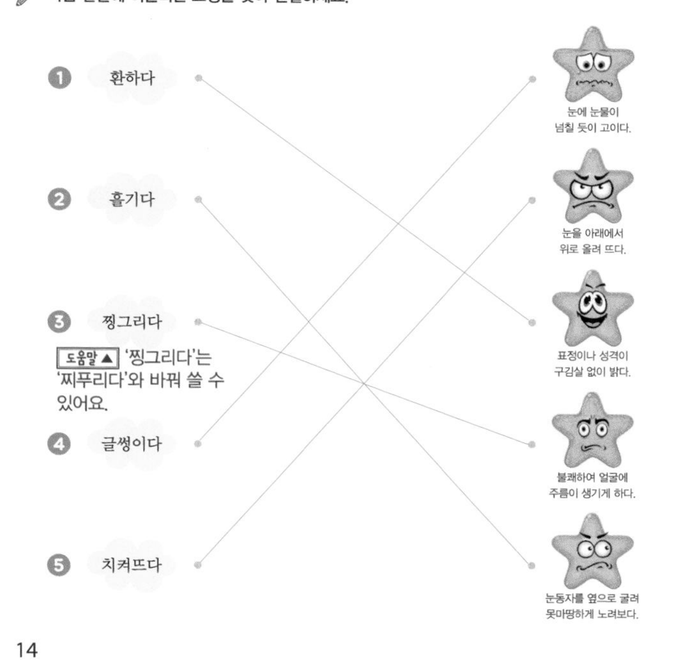

눈에 눈물이 넘칠 듯이 고이다.
눈을 아래에서 위로 올려 뜨다.
표정이나 성격이 구김살 없이 밝다.
불쾌하여 얼굴에 주름이 생기게 하다.
눈동자를 옆으로 굴려 못마땅하게 노려보다.

1. 환하다
2. 흘기다
3. 찡그리다

도움말▲ '찡그리다'는 '찌푸리다'와 바꿔 쓸 수 있어요.

4. 글썽이다
5. 치켜뜨다

6 감정을 나타내는 말 섭섭하다

'생각대로 되지 않아 아쉽다.'라는 뜻을 가진 '섭섭하다'는 엄마한테 혼나거나 친구와 헤어질 때와 같은 상황에서 느끼는 아쉬운 감정을 나타내는 말이에요.

친구와 헤어지려니까 **섭섭하다.**
아쉬운 감정을 표현

✎ 빈칸에 알맞은 낱말을 [보기]에서 찾아 써 보세요.

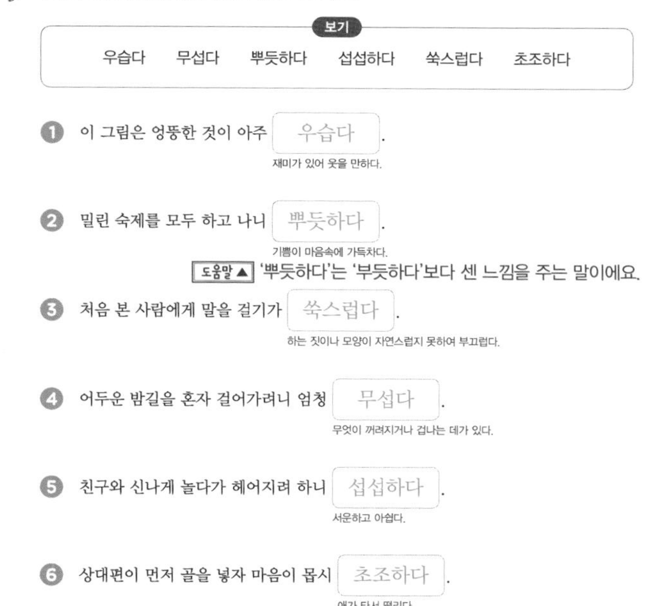

보기: 우습다 무섭다 뿌듯하다 섭섭하다 쑥스럽다 초조하다

1. 이 그림은 엉뚱한 것이 아주 [우습다].
   재미가 있어 웃을 만하다.
2. 밀린 숙제를 모두 하고 나니 [뿌듯하다].
   기쁨이 마음속에 가득차다.
   도움말▲ '뿌듯하다'는 '부듯하다'보다 센 느낌을 주는 말이에요.
3. 처음 본 사람에게 말을 걸기가 [쑥스럽다].
   하는 짓이나 모양이 자연스럽지 못하여 부끄럽다.
4. 어두운 밤길을 혼자 걸어가려니 엄청 [무섭다].
   무엇이 꺼려지거나 겁나는 데가 있다.
5. 친구와 신나게 놀다가 헤어지려 하니 [섭섭하다].
   서운하고 아쉽다.
6. 상대편이 먼저 골을 넣자 마음이 몹시 [초조하다].
   애가 타서 떨리다.
   도움말▲ '초조하다'는 '안절부절못하다'와 바꿔 쓸 수 있어요.

7 잘못 쓰기 쉬운 말 젠체하다

'잘난 체하다'라는 뜻의 '젠체하다'는 '제가 저인 체하다.'라는 말에서 생겨났다는 설이 있어요. '젠체하다'와 같은 낱말들은 맞춤법을 틀리기 쉬우니 잘 익혀 두도록 해요.

칭찬을 받아 **젠체하다.**
잰체하다(×)

✎ 다음 뜻에 알맞은 낱말을 찾아 ○표 하세요.

1. 잘난 체하다. ⇨ 잰체하다 / (젠체하다)
2. 눈치가 빠르고 상냥하다. ⇨ (싹싹하다) / 싹삭하다
3. 성격이 시원하고 마음이 넓다. ⇨ (호탕하다) / 허탕하다
   도움말▲ '호탕하다'는 '호방하다'와 바꿔 쓸 수 있어요.
4. 태도나 성격이 고분고분하지 않다. ⇨ 뻗뻗하다 / (뻣뻣하다)
5. 사실보다 지나치게 불려서 나타내다. ⇨ 가장하다 / (과장하다)
   도움말▲ '가장하다'는 '태도를 거짓으로 꾸미다.'를 뜻하는 말이에요.
6. 남이 겁을 낼 만큼 성질이 날카롭다. ⇨ 메섭다 / (매섭다)

8 바꿔 쓸 수 있는 말 짐작하다

'사정이나 형편을 대강 알아차리다.'라는 뜻의 '짐작하다'는 '추측하다'와 비슷한 말이에요. 그래서 '생활을 짐작하다.'라는 말을 '생활을 추측하다.'라는 말로 바꾸어 쓰기도 하지요.

조상들의 생활을 **[짐작하다 / 추측하다].**
바꿔 쓸 수 있음.

✎ 밑줄 친 낱말과 바꿔 쓸 수 있는 낱말을 [보기]에서 찾아 써 보세요.

보기: 생생하다 요란하다 짐작하다 털어놓다 두드러지다

1. 그의 노래 솜씨가 돋보이다. ⇨ [두드러지다]
   눈에 띄게 뚜렷하다.
2. 동생이 자신의 잘못을 실토하다. ⇨ [털어놓다]
   사실을 숨김없이 말하다.
3. 형이 코를 고는 소리가 매우 시끄럽다. ⇨ [요란하다]
   소리가 몹시 떠들썩하다.
4. 전쟁 당시의 기억이 아직도 선명하다. ⇨ [생생하다]
   눈에 보이는 듯 또렷하다.
   도움말▲ '선명하다'는 '분명하다'와도 바꿔 쓸 수 있어요.
5. 친구의 목소리를 듣고 그의 기분을 추측하다. ⇨ [짐작하다]
   사정이나 형편 등을 대강 알아차리다.

9 끝말잇기

빈칸에 알맞은 낱말을 넣어 끝말잇기를 완성해 보세요.

표정 → 오늘따라 그녀의 □□이 무척이나 밝다.
마음의 감정이 얼굴에 드러난 모습

정원사 → □□□가 화단을 예쁘게 손질하고 있다.
정원의 꽃밭이나 나무를 가꾸는 일을 직업으로 하는 사람

사실 → 친구에게 돈을 빌려준 □□을 잊어버렸다.
실제로 일어났거나 일어나고 있는 일

실감 → 그는 콘서트에 온 자신의 팬들을 보고 인기를 □□했다.
실제인 것처럼 느끼는 것

감상 → 음악 시간에 클래식 합주곡을 □□했다.
주로 예술 작품을 이해하여 즐기고 평가함.

상궁 → 임금이 식사를 할 때는 □□이 시중을 든다.
왕궁에서 일하던 지위가 높은 여자

도움말▼ '궁녀'는 '나인'으로도 쓸 수 있어요.

궁녀 → 조선 시대 □□들은 왕실의 어려운 일들을 도맡아 하였다.
궁궐 안에서 왕과 왕비를 가까이 모시는 여자

10 올바른 발음 늪이[느피]

앞말의 받침 'ㅊ', 'ㅋ', 'ㅍ'이 뒷말의 모음과 만나면 [치], [체], [키], [케], [피], [페]와 같이 소리 나요. 예를 들어 '늪이', '늪에'와 같은 말은 앞말의 받침 'ㅍ'이 뒷말의 'ㅣ', 'ㅔ'와 만나 [느피], [느페]와 같이 발음돼요.

늪 + 이 → 늪이[느피]
(앞말의 받침 'ㅍ'이 / 뒷말의 모음 'ㅣ'와 만나 / [피]로 소리 남.)

밑줄 친 부분의 알맞은 발음을 찾아 ○표 하세요.

1. 등대에서 밝은 빛이 나오고 있다. → (비치) / [비지]
2. 어머니의 무릎에 누워 자장가를 들었다. → [무르베] / ([무르페])
3. 집에 오는 길에 넘어져서 무릎이 까졌다. → [무르비] / ([무르피])
4. 저 늪에는 낯선 식물들이 많이 자라고 있다. → ([느페는]) / [느베는]
   도움말▲ '늪'은 '땅바닥이 진흙으로 우묵하고 깊게 파이고 항상 물이 많이 괴어 있는 곳'을 이르는 말이에요.
5. 이곳에 늪이 있어서 빠지지 않도록 조심해야 해. → [느비] / ([느피])
6. 부엌에 가면 음식을 만드는 데 쓰는 도구들이 많이 있다. → ([부어케]) / [부어게]

11 타교과 어휘 사회

빈칸에 알맞은 낱말을 써서 문장을 완성해 보세요.

1. 환경은 인간의 삶에 많은 영향을 끼친다.
   생물이 살아가는 데 영향을 주는 자연적 조건이나 사회적 상황
2. 우리 동네 뒷산은 10월에 단풍이 절정이다.
   최고의 상태
3. 우리 조선소에서는 낚시선을 주로 만든다.
   배를 만들거나 고치는 곳
4. 새벽이 되자 밤에 떠났던 고기잡이배가 항구로 돌아왔다.
   바닷가에 배가 닿고 떠날 수 있도록 만든 시설이 있는 곳
5. 사람이 살아가는 데에는 기본적으로 의식주가 필요하다.
   옷과 음식과 집을 통틀어 이르는 말

도움말▼ '한 채씩 따로 지은 집'은 '단독 주택'이라고 해요.

6. 연립주택은 한 건물에 여러 가구가 모여 사는 집의 형태이다.
   한 건물 안에서 여러 가구가 각각 독립된 주거 생활을 할 수 있도록 지은 공동 주택

빈칸에 알맞은 낱말을 찾아 ○표 하고, 바르게 써 보세요.

1. 봄을 시샘하듯 꽃샘추위가 찾아왔다. → (꽃샘추위) / 봄샘추위
   이른 봄, 꽃이 필 무렵의 추위
2. 좁은 문구멍으로 황소바람이 들어온다. → 젖소바람 / (황소바람)
   좁은 틈으로 세게 불어 드는 바람
3. 농부가 텃밭에서 상추를 재배한다. → (재배) / 지배
   식물을 심어 가꿈.

도움말▼ '가을걷이'는 '추수'라고도 해요.

4. 가을이 되자 밭에서는 가을걷이가 한창이다. → (가을걷이) / 가을걸이
   가을철에 농작물을 거두어 들이는 일
5. 봄이 되니 굶주렸던 보릿고개 시절이 떠오른다. → (보릿고개) / 식량고개
   먹을 것이 모자라서 어려운 때를 비유해서 이르는 말
6. 이 지역은 강수량이 많아서 벼농사를 짓기 좋다. → 강물 / (강수량)
   일정한 곳에 비나 눈 따위가 내리는 물의 양

2장 중심 생각을 찾아요

국어 교과서 66~95쪽

1 중심 생각

글쓴이가 글을 통해 전하려고 하는 생각을 '중심 생각'이라고 해요. 글을 읽을 때는 중심 생각이 무엇인지를 생각하며 읽어야 해요.

빈칸에 알맞은 낱말을 [보기]에서 찾아 넣어 문장을 완성해 보세요.

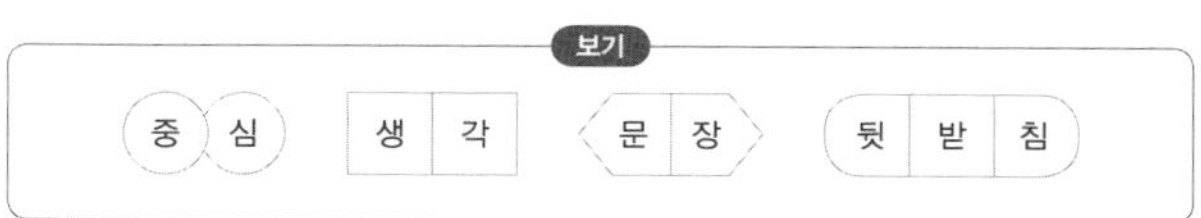

1. 글쓴이가 전하려고 하는 생각을 중심 생각이라고 한다.
2. 문단은 중심 문장과 뒷받침 문장으로 이루어져 있다. 도움말▲ 한 문단에 중심 문장은 한 개만 올 수 있지만 뒷받침 문장은 여러 개가 올 수 있어요.
3. 중심 문장은 한 문단에서 전체 내용을 대표하는 문장이다.
4. 뒷받침 문장은 중심 문장을 보충하거나 자세히 설명하는 문장이다.

2 중심 문장과 뒷받침 문장

다음 글에서 중심 문장과 뒷받침 문장을 찾아 문장 번호를 써 보세요.

1. ① 지구는 앞으로 우리가 살아갈 터전입니다. ② 그런데 우리가 한 번 쓰고 버리는 일회용품이 지구를 병들게 하고 있습니다. ③ 지구를 깨끗하게 하려면 일회용품을 덜 쓰는 노력이 필요합니다.
   - 중심 문장 : (3)
   - 뒷받침 문장 : (1, 2)
2. ① 첫째, 비닐봉지를 적게 써야 합니다. ② 전 세계에서 사용하고 버리는 비닐봉지의 양은 매년 늘어나고 있습니다. ③ 이것을 처리하는 데는 많은 비용이 듭니다. ④ 비닐봉지가 자연적으로 썩어 없어지는 데에만 무려 500년이라는 시간이 필요하다고 합니다.
   - 중심 문장 : (1)
   - 뒷받침 문장 : (2, 3, 4)
3. ① 둘째, 일회용 컵을 적게 써야 합니다. ② 쓰기에 편하다는 점 때문에 일회용 컵은 필요 이상으로 낭비되고 있습니다. ③ 일회용 컵을 만드는 데에는 나무나 플라스틱이 필요하므로, 무분별하게 일회용 컵을 사용하다 보면 환경이 더 파괴될 수 있습니다.
   - 중심 문장 : (1)
   - 뒷받침 문장 : (2, 3)

다음은 윗글의 중심 생각이에요. 빈칸에 알맞은 낱말을 써 보세요.

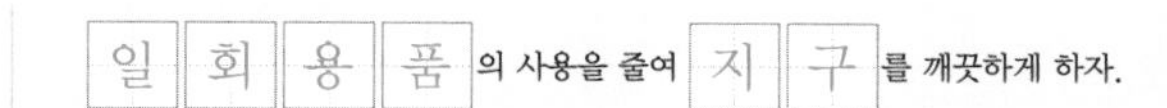

일 회 용 품의 사용을 줄여 지 구를 깨끗하게 하자.

3 주제별 어휘 날씨

일기 예보를 보면 날씨에 관련된 말이 자주 등장해요. 날씨와 관련된 기본적인 낱말을 익혀 두면 일기 예보가 귀에 쏙쏙 들어올 거예요.
도움말▲ '일기'와 '날씨'는 같은 말이에요.

주어진 낱말에 알맞은 뜻을 찾아 연결하세요.

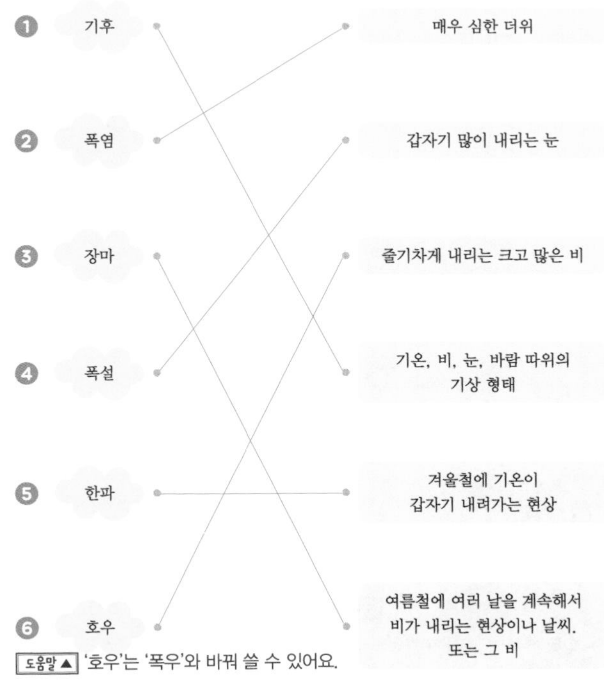

1 기후
2 폭염
3 장마
4 폭설
5 한파
6 호우
매우 심한 더위
갑자기 많이 내리는 눈
줄기차게 내리는 크고 많은 비
기온, 비, 눈, 바람 따위의 기상 형태
겨울철에 기온이 갑자기 내려가는 현상
여름철에 여러 날을 계속해서 비가 내리는 현상이나 날씨. 또는 그 비

도움말▲ '호우'는 '폭우'와 바꿔 쓸 수 있어요.

4 뜻을 더하는 말 헛-, 짓-

'헛-', '짓-'과 같은 말은 다른 말의 앞에 붙어 특별한 뜻을 더해 주는 말이에요. '헛-'은 '이유 없는', '보람 없는'의 뜻을 더해 주고 '짓-'은 '마구', '함부로'의 뜻을 더해 주어요.

헛돈을 쓰다. (보람없는)　　망아지가 텃밭을 짓밟다. (마구, 함부로)

주어진 뜻에 알맞은 낱말을 [보기]에서 찾아 써 보세요.

보기: 걸음　고생　소문

도움말▼ '헛소문'은 '뜬소문'과 바꿔 쓸 수 있어요.

1. 근거 없이 떠도는 소문 ⇨ 헛소문
2. 아무 보람도 없이 수고함. ⇨ 헛고생
3. 목적을 이루지 못하고 가거나 옴. ⇨ 헛걸음

보기: 누르다　뭉개다　이기다

4. 함부로 마구 누르다. ⇨ 짓누르다
5. 함부로 마구 찧어 다지다. ⇨ 짓이기다
6. 함부로 세게 눌러 납작하게 만들다. ⇨ 짓뭉개다

5 형태는 같은데 뜻이 다른 말 익다

'열매가 여물다.'는 뜻의 '익다'와 '익숙하여 편하다.'는 뜻의 '익다'는 형태는 같지만 전혀 다른 낱말이에요.

사과가 익다. (여물다.)

습관이 몸에 익다. (익숙하여 편하다.)

빈칸에 공통으로 들어갈 낱말을 써 보세요.

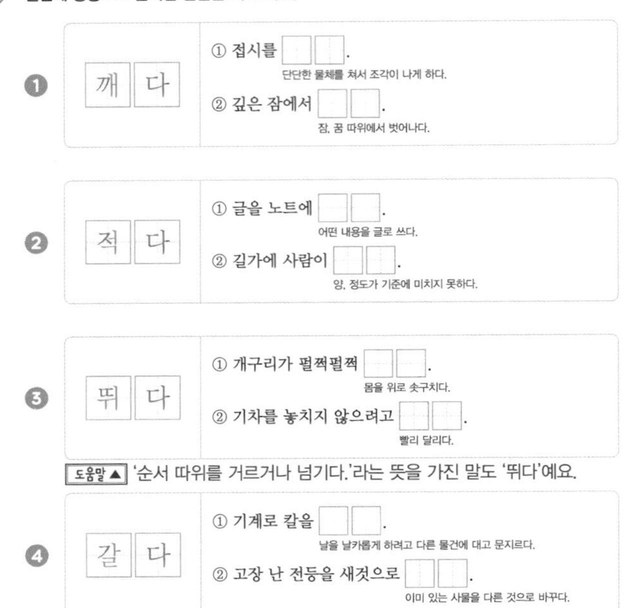

1 깨 다
① 접시를 □□.
단단한 물체를 쳐서 조각이 나게 하다.
② 깊은 잠에서 □□.
잠, 꿈 따위에서 벗어나다.
2 적 다
① 글을 노트에 □□.
어떤 내용을 글로 쓰다.
② 길가에 사람이 □□.
양, 정도가 기준에 미치지 못하다.
3 뛰 다
① 개구리가 펄쩍펄쩍 □□.
몸을 위로 솟구치다.
② 기차를 놓치지 않으려고 □□.
빨리 달리다.
도움말▲ '순서 따위를 거르거나 넘기다.'라는 뜻을 가진 말도 '뛰다'예요.
4 갈 다
① 기계로 칼을 □□.
날을 날카롭게 하려고 다른 물건에 대고 문지르다.
② 고장 난 전등을 새것으로 □□.
이미 있는 사물을 다른 것으로 바꾸다.

6 정도를 나타내는 말 무진장하다

'많다', '적다', '넓다', '좁다'와 같이 정도를 뜻하는 낱말들은 그 쓰임에 따라 다양한 표현이 가능해요.

숙제가 [상당하다 / 무진장하다]. (바꿔 쓸 수 있음.)

도움말▲ 표현을 구체적이고 다양하게 사용하면 '말맛'을 풍부하게 살릴 수 있어요.

다음 낱말들을 나누려고 해요. 비슷한 느낌을 가진 낱말들끼리 써 보세요.

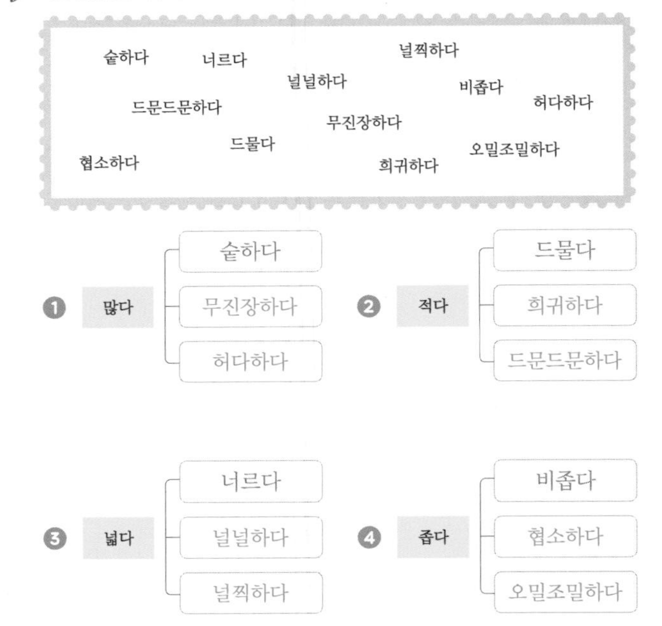

7 포함하는 말 바람

'피부로 느낄 수 있는 공기의 흐름'을 뜻하는 '바람'은 그 구체적인 종류를 나타내는 낱말 '건들바람', '꽃샘바람', '소소리바람'을 포함한다고 할 수 있어요.

바람			→ 포함하는 말
건들바람	꽃샘바람	소소리바람	→ 포함되는 말
초가을에 부는 바람	이른 봄 쌀쌀한 바람	이른 봄 매서운 바람	

다음 표의 빈칸에 알맞은 낱말을 [보기]에서 찾아 써 보세요.

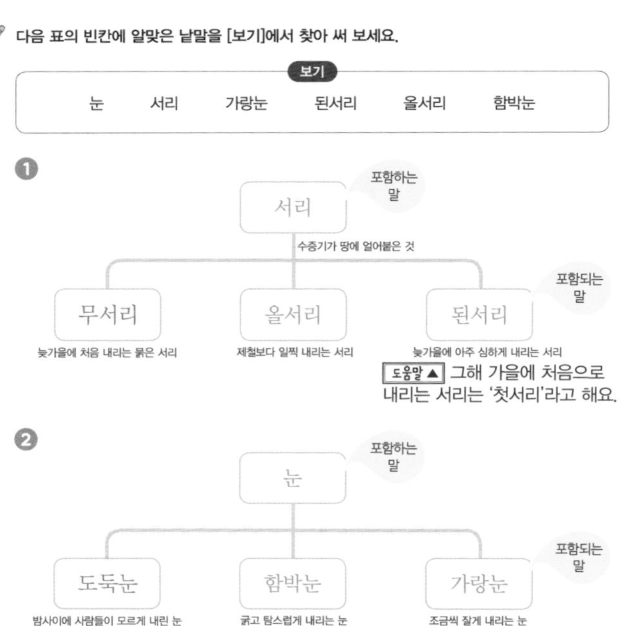

수증기가 땅에 얼어붙은 것

제철보다 일찍 내리는 서리

도움말▲ 그해 가을에 처음으로 내리는 서리는 '첫서리'라고 해요.

밤사이에 사람들이 모르게 내린 눈

조금씩 잘게 내리는 눈

8 바꿔 쓸 수 있는 말 으뜸

'으뜸'는 '정도와 수준의 첫째'의 뜻을 가지고 있어요. 그래서 이 낱말은 '최고'라는 낱말로 바꾸어 쓰기도 해요.

그의 노래 실력은 [으뜸 / 최고]이다. (바꿔 쓸 수 있음.)

밑줄 친 낱말과 바꿔 쓸 수 있는 낱말을 찾아 ○표 하세요.

1. 살갗에 상처가 나다. (살갗: 살의 겉면) ⇨ 살집 / (피부)
2. 새는 떼를 지어 이동한다. (떼: 한데 많이 모여 있는 것) ⇨ 줄 / (무리)
3. 자연을 보존하기 위해 노력해야 한다. (보존: 잘 보살펴 그대로 남아 있게 하는 것) ⇨ (보호) / 복구
4. 피부에 난 부스럼 주위가 몹시 가렵다. (부스럼: 피부에 고름이 생긴 상처) ⇨ (종기) / 진물
5. 이 화장품에는 천연 색소가 들어 있다. (천연: 사람이 건드리지 않은 그대로의 상태) ⇨ 식물 / (자연)

도움말▼ '버금'은 '으뜸의 바로 아래'를 뜻하는 말이에요.

6. 우리나라 자동차 기술은 세계에서 으뜸이다. (으뜸: 정도나 수준의 첫째) ⇨ 버금 / (최고)

9 외래어 표기 잼

우리말로 외래어를 적을 때에, 자음이 강하게 소리 나더라도 보통 소리로 적는 것이 많아요. 빵과 같은 음식에 발라 먹는 '잼'과 같은 경우, '쨈'이라고 강하게 소리 나지만 '잼'이라고 적어요.

jam → 잼 (쨈(×))

다음 문장에서 알맞은 낱말을 찾아 ○표 하세요.

1. 
⇨ 나는 (젤리 / 쩰리)를 좋아한다. (정답: 젤리)

2. 
⇨ (소세지 / 소시지)가 참 맛있다. (정답: 소시지)

3. 
⇨ 의사는 흰 (가운 / 까운)을 입는다. (정답: 가운)

4. 
⇨ 갓 구운 빵 위에 (잼 / 쨈)을 발랐다. (정답: 잼)

10 줄여 쓰는 말 춰

'춤을 추어라.'와 같은 말은 '춤을 춰라.'와 같이 줄여서 쓸 수 있어요. '나누어', '가두어', '바꾸어'와 같은 말도 '나눠', '가둬', '바꿔' 처럼 줄여서 쓰기도 해요.

춤을 추어라. → 춤을 춰라.
('ㅜ'가 'ㅓ'와 만나 'ㅝ'가 됨.)

밑줄 친 부분을 알맞게 줄여 써 보세요.

1. 친구가 나에게 사탕을 주었다. ⇨ 줬다
2. 나는 짝꿍과 함께 신나게 춤을 추었다. ⇨ 췄다
3. 선물로 받은 사탕을 친구들에게 나누어 주었다. ⇨ 나눠
4. 입장을 바꾸어 보면, 상대방의 기분을 알 수 있다. ⇨ 바꿔
5. 공공장소에서는 목소리를 낮추어 말하는 것이 좋다. ⇨ 낮춰
6. 농사를 짓기 위해 논에 많은 양의 물을 가두었다. ⇨ 가뒀다

11 타교과 어휘 과학

빈칸에 알맞은 낱말을 써서 문장을 완성해 보세요.

1. 화단에 예쁜 꽃들이 활짝 피어 있다.
꽃을 심기 위하여 흙을 약간 높게 하여 꾸며 놓은 꽃밭

2. 새가 날개를 활짝 펴고 하늘로 날아올랐다.
새나 곤충의 몸 양쪽에 붙어서 날아다니는 데 쓰는 기관

3. 나는 곤충을 채집하기 위해 아빠와 함께 들에 갔다.
널리 찾아서 얻거나 캐거나 잡아 모으는 일

4. 우리는 실생활에 도움이 되는 로봇을 설계해 보았다.
건축, 기계 등에 관한 계획을 세우거나 그 계획을 그림 등으로 나타내는 것

5. 나는 길가에 떨어진 깃털을 보고 새의 모습을 떠올려 보았다.
새의 몸을 덮고 있는 털

도움말 ▼ '물갈퀴'는 '사람이 물속에서 활동할 때에 발에 끼는 오리발 모양의 물건'이라는 뜻으로도 쓰여요.

6. 오리나 기러기는 발에 물갈퀴가 있어서 물에서 헤엄칠 수 있다.
동물의 발가락 사이에 있어 헤엄치기에 알맞은 얇은 막

7. 사막에는 종종 모래바람이 분다.
모래를 날리며 세차게 부는 바람

8. 남극 지방에는 다양한 종류의 펭귄이 살고 있다.
지구 남쪽의 끝. 또는 그 주변의 지역

9. 이번 방학 때에는 나비에 대해 탐구를 해 볼 것이다.
필요한 것을 조사하여 찾아내거나 얻어 냄.

도움말 ▼ '갯벌'은 '개펄'로도 쓸 수 있어요.

10. 나는 갯벌에서 조개를 캐다가 발이 빠져 허둥거렸다.
바닷물이 빠졌을 때 드러나는 넓은 진흙 벌판

11. 미어캣에 대해 자세히 알아보려고 동물도감을 찾아보았다.
그림, 사진과 함께 한 지역에 사는 동물의 분포, 분류, 상태 따위의 모든 자료를 모아서 종류별로 정리한 책

12. 이 호수에는 물고기가 많이 살고 있어 낚싯줄만 던져도 물고기가 잡힌다.
땅으로 둘러싸인 큰 못

6일
월
일

3장 자신의 경험을 글로 써요

국어 교과서 96~119쪽

1 글쓰기

자신이 경험한 일들을 글로 써서 남겨 두면 오래도록 기억하기 쉬워요. 또한 자신이 한 행동에 대해 되돌아볼 수 있는 기회가 되기도 해요.

인상 깊은 일을 글로 쓰려고 합니다. 순서에 맞게 번호를 매겨 보세요.

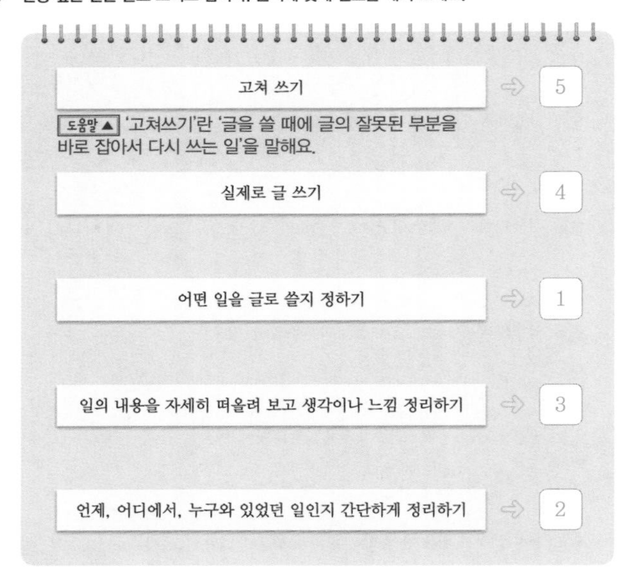

- 고쳐 쓰기 → 5
  - 도움말▲ '고쳐쓰기'란 '글을 쓸 때에 글의 잘못된 부분을 바로 잡아서 다시 쓰는 일'을 말해요.
- 실제로 글 쓰기 → 4
- 어떤 일을 글로 쓸지 정하기 → 1
- 일의 내용을 자세히 떠올려 보고 생각이나 느낌 정리하기 → 3
- 언제, 어디에서, 누구와 있었던 일인지 간단하게 정리하기 → 2

2 모양을 흉내 내는 말 조몰락조몰락

작은 동작으로 물건 따위를 자꾸 주무르는 모양을 흉내 내는 말은 '조몰락조몰락'이에요. 보다 큰 동작으로 물건을 자꾸 주무르는 모양을 흉내 내는 말은 '주물럭주물럭'이지요.

야구공을 조몰락조몰락(작은 느낌의 동작) 주무르다. → 반죽을 주물럭주물럭(큰 느낌의 동작) 주무르다.

밑줄 친 말보다 큰 느낌을 주는 낱말을 빈칸에 써 넣어 보세요.

1. 포도송이에 까만 포도알들이 조랑조랑 달려 있다.
   나무에 큰 사과들이 [주 렁 주 렁] 달려 있다.
   (열매 따위가 많이 달려 있는 모양)

   도움말▼ '반작반작'은 '반짝반짝'보다 여린 느낌을 주는 말이에요.
2. 밤하늘에 별들이 반짝반짝 빛난다.
   번개가 치면서 [번 쩍 번 쩍] 빛이 난다.
   (큰 빛이 잇따라 잠깐 나타났다가 사라지는 모양)
3. 고양이가 움직일 때마다 목에 걸린 방울이 달랑달랑 흔들린다.
   바람이 불 때마다 창문이 [덜 렁 덜 렁] 흔들린다.
   (매달린 물체가 자꾸 흔들릴 때 나는 소리나 모양)
4. 낚싯줄에 걸려 올라온 고기들이 팔짝팔짝 뛰었다.
   아무도 말을 믿어 주지 않자, 그는 [펄 쩍 펄 쩍] 뛰었다.
   (힘차게 여러 번 뛰어오르는 모양)

3 뜻을 더하는 말 1 –자마자

'–자마자'를 사용하면 이어지는 두 가지 사건이나 동작을 표현할 수 있어요.

내가 집에 도착하자마자(잇따라 바로) 비가 왔다.

다음 두 문장을 '–자마자'를 사용하여 한 문장으로 만들어 보세요.

1.

먼저 일어난 일	잇따라 일어난 일
까마귀가 날았다.	배가 떨어졌다.

⇨ 까마귀가 [날 자 마 자] 배가 떨어졌다.

도움말▲ '까마귀 날자 배 떨어진다.'는 '아무 관계없이 한 일이 우연히 때가 같아 어떤 관계가 있는 것처럼 의심을 받게 됨.'이라는 뜻을 가진 속담이에요.

2.

먼저 일어난 일	잇따라 일어난 일
나는 길을 건넜다.	나는 빵집에 갔다.

⇨ 나는 길을 [건 너 자 마 자] 빵집에 갔다.

3.

먼저 일어난 일	잇따라 일어난 일
철이가 나를 보았다.	철이는 나에게 화를 냈다.

⇨ 철이는 나를 [보 자 마 자] 화를 냈다.

4.

먼저 일어난 일	잇따라 일어난 일
나는 저녁을 먹었다.	영수가 나를 찾아 왔다.

⇨ 내가 저녁을 [먹 자 마 자] 영수가 찾아 왔다.

4 뜻을 더하는 말 2 –적

'–적'은 어떤 낱말의 뒤에 붙어 '그 성격을 띠는', '그에 관계된'의 의미를 더하는 말로 쓰여요.

구체, 상대 + -적(-的) → 구체적, 상대적

밑줄 친 부분을 바꿔 쓰려고 해요. [보기]에서 알맞은 낱말을 찾아 써 보세요.

보기: 구체 상대 세계 일상 자연 중심

1. 좀 더 자세하게 이야기를 해 보아라. ⇨ [구 체 적]으로
2. 다른 쪽과 비교해 볼 때 우리 팀이 약하다. ⇨ [상 대 적]으로

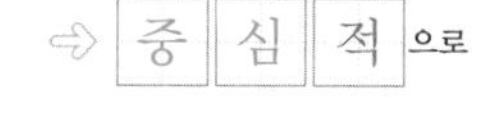

도움말▲ '절대적'은 '상대적'과 뜻이 반대인 말이에요.

3. 이 부분을 기본으로 하여 글을 읽어야 한다. ⇨ [중 심 적]으로
4. 이 낱말은 날마다 볼 수 있을 만큼 많이 사용된다. ⇨ [일 상 적]으로
5. 우리 기술력은 세계에서 알아 줄 만큼 유명하다. ⇨ [세 계 적]으로
6. 누가 범인인지는 노력 없이 저절로 알게 될 것이다. ⇨ [자 연 적]으로

5 뜻이 여러 가지인 말 깊다

'깊다'라는 낱말은 '겉과 속의 거리가 멀다.'라는 기본이 되는 뜻 외에도 여러 가지 다양한 뜻을 함께 가지고 있어요.

우물이 **깊다.** (겉과 속의 거리가 멀다.)　인연이 **깊다.** (수준, 정도가 심하다.)

도움말▲ '깊다'는 '시간이 오래다.'라는 뜻으로도 쓰여요. 예 밤이 깊다.

빈칸에 공통으로 들어갈 낱말을 써 보세요.

1. 역사가 □□. (시간이 오래다.)　생각이 □□. (생각이 크고 매우 조심스럽다.)
   공통으로 들어갈 말 ⇨ 깊 다
2. 사과를 □□. (붙어 있는 것을 잡아 떼다.)　금메달을 □□. (경기에서 이겨 돈이나 상품 따위를 얻다.)
   깡통을 □□. (꽉 봉한 것을 뜯다.)　운전면허를 □□. (점수나 자격을 얻다.)
   공통으로 들어갈 말 ⇨ 따 다
3. 구두를 □□. (때, 먼지 따위를 없애다.)　무예를 □□. (공부를 하거나 기술을 배우다.)
   눈물을 □□. (물기를 훔치다.)　고속 도로를 □□. (길 따위를 만들다.)
   공통으로 들어갈 말 ⇨ 닦 다

6 잘못 쓰기 쉬운 말 얼른

'얼른'은 '시간을 끌지 않고 바로'라는 뜻을 가진 말이에요. 그런데 이 '얼른'은 '언능', '얼릉'과 같이 잘못 쓰기 쉬우니, 정확한 표기를 익혀 바르게 적을 수 있어야 해요.

초인종 소리에 **얼른** 문을 열었다. (언능(×), 얼릉(×))

밑줄 친 낱말을 알맞게 고쳐 써 보세요.

1. 머리맡에 책을 놓고 잠이 들었다. (누워 있는 사람의 머리 근처) ⇨ 머 리 맡
2. 그는 쌀 한 웅큼으로 밥을 짓기로 했다. (손으로 움켜쥘 만큼의 양을 세는 단위) ⇨ 움 큼

3. 주인 영감이 막때기를 휘두르며 쫓아왔다. ⇨ 막 대 기

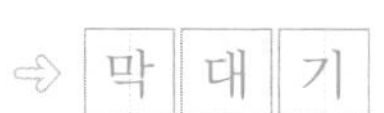

4. 언니가 나의 이마에 물쑤건을 얹어 주었다. ⇨ 물 수 건

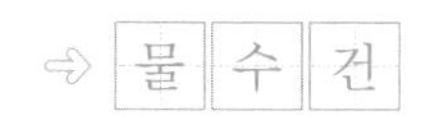

5. 밥에 들어간 강남콩을 골라내다가 할머니께 혼이 났다. ⇨ 강 낭 콩
6. 무를 네모나게 썰어서 양념과 함께 뒤섞어 만든 김치를 깍뚜기라고 한다. ⇨ 깍 두 기

7 단위를 나타내는 말 벌, 마리

대상마다 단위를 나태는 말을 달리 써요. 옷은 한 벌, 두 벌처럼 나타내지만 동물은 한 마리, 두 마리처럼 나타내지요.

옷 한 **벌** (단위)　동물 한 **마리** (단위)

빈칸에 알맞은 낱말을 [보기]에서 찾아 써 보세요.

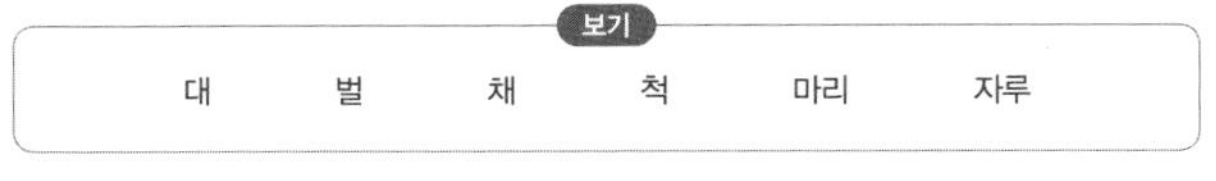

보기: 대　벌　채　척　마리　자루

1. 
   옷 한 벌
2. 
   버스 한 대
   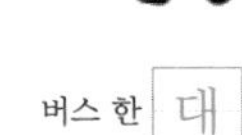
3. 
   연필 세 자 루

4. 

   집 한 채

5. 
   배 한 척
6. 
   토끼 한 마 리

주어진 표현과 바꿔 쓸 수 있는 말에 ☑표 하세요.

1. 밥 한 숟가락
   - ☑ 밥 한 술
   - ☐ 밥 한 절
   - ☐ 밥 한 줄
2. 한약 한 봉지
   - ☐ 한약 한 접
   - ☑ 한약 한 첩
   - ☐ 한약 한 줍
3. 신발 두 짝
   - ☑ 신발 한 켤레
   - ☐ 신발 한 걸레
   - ☐ 신발 한 굴레
4. 조기 스무 마리
   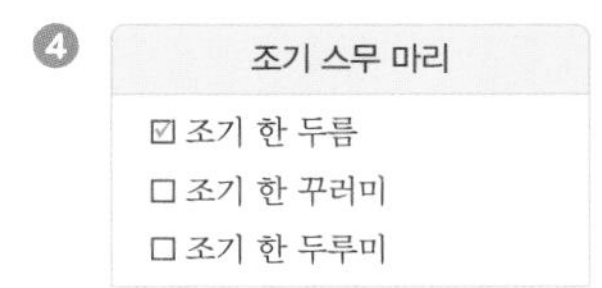
   - ☑ 조기 한 두름
   - ☐ 조기 한 꾸러미
   - ☐ 조기 한 두루미
5. 생선 두 도막
   - ☐ 생선 두 토각
   - ☑ 생선 두 토막
   - ☐ 생선 두 토목
6. 김 백 장
   - ☐ 김 한 놋
   - ☑ 김 한 톳
   - ☐ 김 한 질
7. 달걀 열 개
   - ☐ 달걀 한 판
   - ☐ 달걀 한 꾸럼
   - ☑ 달걀 한 꾸러미
8. 말 한 마리
   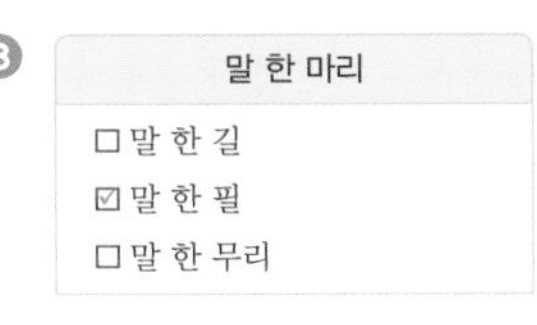
   - ☐ 말 한 길
   - ☑ 말 한 필
   - ☐ 말 한 무리

8 꾸며 주는 말 드디어

'드디어'는 '무엇으로 말미암아 그 결과로' 또는 '결국'과 같은 말을 뜻하는 낱말이에요. 이와 같은 말들은 다른 말을 꾸며 주는 역할을 해요.

드디어 그는 금메달을 땄다.
꾸며 줌.

✎ 밑줄 친 부분의 글자 순서를 바르게 고쳐 써 보세요.

❶ 열심히 공부한 끝에 디드어 시험에 합격했다. ⇨ 드 디 어
여러 고비를 거치고 끝에 이르러

❷ 범인은 내끝끝 자신의 잘못을 인정하지 않았다. ⇨ 끝 끝 내
끝까지 내내
도움말 ▲ '끝끝내'는 주로 부정을 나타내는 말과 함께 쓰여요.

❸ 기를 쓰고 덤비더니, 코기어 우승을 차지했다. ⇨ 기 어 코
결국에 가서는

❹ 일을 모두 끝낸 다음에야 소비로 웃을 수 있었다. ⇨ 비 로 소
어떤 일이 있고 난 다음에야 처음으로

❺ 내침마 나무꾼은 아름다운 선녀와 결혼식을 올렸다. ⇨ 마 침 내
마지막에

❻ 동쪽 하늘이 붉게 되더니 윽이고 해가 뜨기 시작했다. ⇨ 이 윽 고
얼마쯤 시간이 지난 후에

9 띄어쓰기

낱말과 낱말 사이를 띄어 쓰는 것은 띄어쓰기의 기본 원칙이에요. 그 밖에 띄어쓰기에서 조심해야 할 내용들을 살펴보아요.

❶ 낱말과 낱말은 띄어 쓰되, '이/가, 을/를, 은/는, 의'와 같은 말은 앞말과 붙여 써야 해요.
❷ 수를 나타내는 말과 단위를 나타내는 말은 띄어 써야 해요.

✎ 다음 문장을 바르게 띄어 써 보세요.

❶ 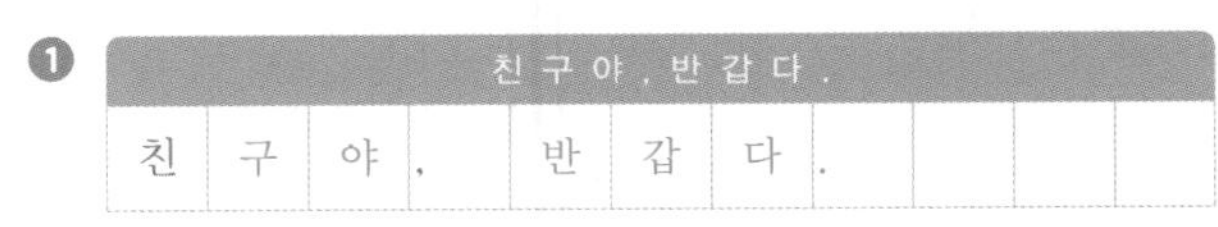
친구야,반갑다.
친 구 야 , 반 갑 다 .

❷ 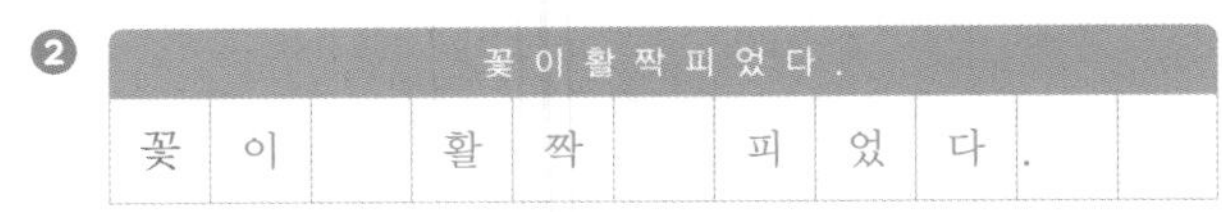
꽃이활짝피었다.
꽃 이 활 짝 피 었 다 .

❸ 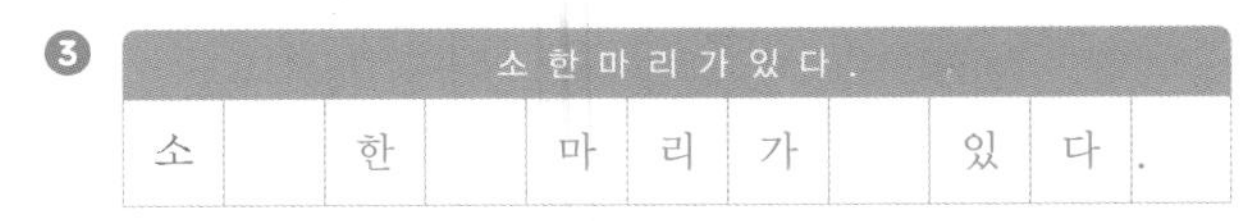
소한마리가있다.
소 한 마 리 가 있 다 .

❹ 연필두자루가있다.
연 필 두 자 루 가 있 다 .

❺ 아이들이동생을놀렸다.
아 이 들 이 동 생 을 놀 렸 다 .

10 타교과 어휘 도덕

✎ 빈칸에 알맞은 낱말을 써서 문장을 완성해 보세요.

❶ 학용품을 낭 비 하는 습관을 고쳐야 한다.
돈, 시간, 물건 따위를 헛되이 함부로 씀.
도움말 ▲ '낭비'는 '허비'와 바꿔 쓸 수 있어요.

❷ 숙제를 미 루 고 게임을 하다가 엄마에게 혼이 났다.
일이나 정한 시간을 나중으로 넘기고

❸ 이 가수의 노래가 좋다는 친구의 말에 맞 장 구 를 쳤다.
남의 말이 옳다고 찬성하는 말을 하는 것

❹ 안 쓰는 물건들을 정 리 해서 필요한 친구들에게 나누어 주었다.
흐트러진 상태에 있는 것을 한데 모으거나 치움.

❺ 골 똘 히 생각하느라 친구가 나를 부르는 것도 듣지 못했다.
온 정신을 한 가지 일에 쏟아

❻ 사람들은 생산과 소비 따위의 다양한 경 제 생 활 을 한다.
인간 생활에 필요한 돈이나 서비스를 생산 · 분배 · 소비하는 모든 활동

❼ 물건을 소 중 히 다루고 아껴 써야 한다.
매우 귀중하게

❽ 나는 끝까지 포기하지 않고 최 선 을 다하기로 했다.
모든 정성과 힘

도움말 ▼ '절약'은 '낭비'와 뜻이 반대인 말이에요.

❾ 나는 용돈을 절 약 해서 엄마 생신날 선물을 사 드렸다.
함부로 쓰지 아니하고 꼭 필요한 데에만 써서 아낌.

❿ 매일 조금씩 꾸 준 히 걷는 것은 건강에 도움이 된다.
한결같이 부지런하고 거의 변함이 없이

⓫ 친구가 겁이 많은 내게 용 기 를 주어서 자전거를 배울 수 있었다.
겁이 없고 씩씩한 기운

⓬ 나는 시간을 계 획 적 으로 사용하기 위해 생활 계획표를 짰다.
미리 정해진 계획에 따른. 또는 그런 것

4장 감동을 나타내요

국어 교과서 120~155쪽

1 감각적 표현

눈으로 보고, 귀로 듣고, 입으로 맛보고, 코로 냄새 맡고, 손으로 만져서 알 수 있는 느낌을 생생하게 표현하는 것을 감각적 표현이라고 해요.

다음 내용과 관련 있는 표현을 [보기]에서 찾아 써 보세요.

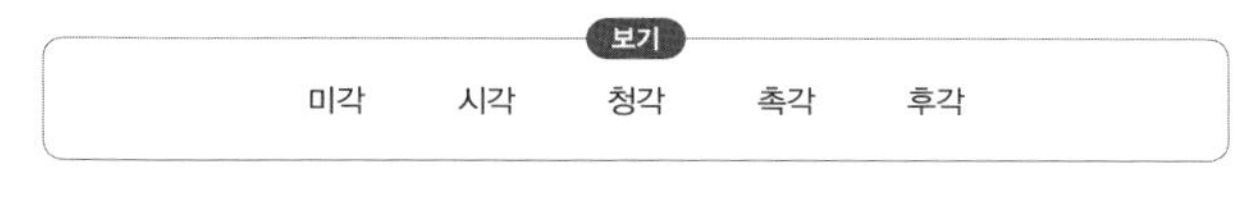

보기: 미각 시각 청각 촉각 후각

① 꽃 냄새가 향긋하다. ⇨ 후각 적 표현

② 이불이 푹신푹신하다. ⇨ 촉각 적 표현

③ 종소리가 댕댕 울린다. ⇨ 청각 적 표현
도움말▲ '땡땡'은 '댕댕'보다 센 느낌을 주는 말이에요.

④ 잘 익은 사과가 새빨갛다. ⇨ 시각 적 표현

⑤ 수박이 무척이나 달콤하다. ⇨ 미각 적 표현

감각적 표현을 쓰면 좋은 점입니다. 빈칸에 알맞은 낱말을 [보기]에서 찾아 써 보세요.

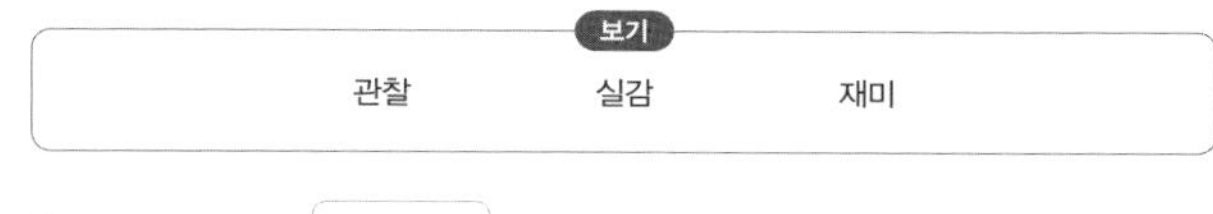

보기: 관찰 실감 재미

① 대상의 느낌을 실감 나게 표현할 수 있습니다.
실감: 실제인 것처럼 느낌

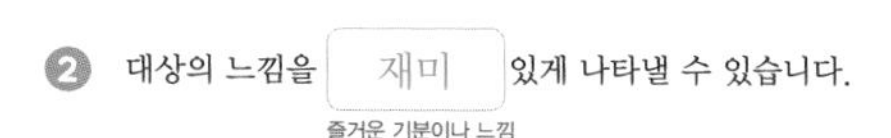

② 대상의 느낌을 재미 있게 나타낼 수 있습니다.
재미: 즐거운 기분이나 느낌

③ 감각적 표현을 말하려고 대상을 더 자세히 관찰 할 수 있습니다.
관찰: 사물이나 현상을 주의 깊게 자세히 살펴봄.

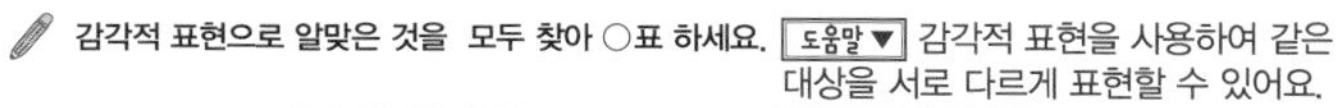

감각적 표현으로 알맞은 것을 모두 찾아 ○표 하세요. 도움말▼ 감각적 표현을 사용하여 같은 대상을 서로 다르게 표현할 수 있어요.

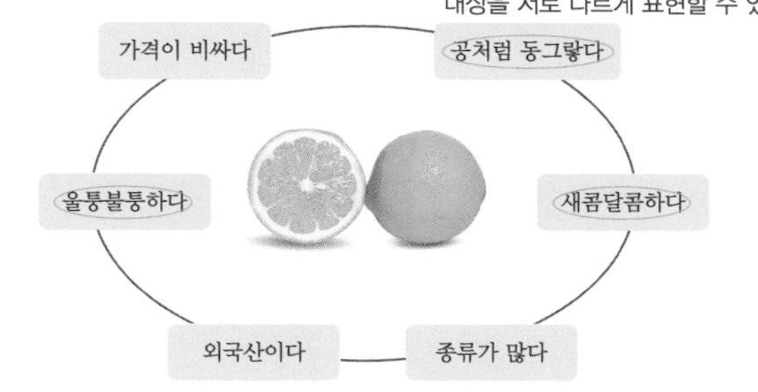

2 날짜를 나타내는 말 하루

날짜를 나타낼 때에는 한자어로 '일일, 이일'과 같이 나타내기도 하고, 고유어로 '하루, 이틀'과 같이 나타내기도 하지요.

[일일/이일] 동안 여행을 간다. → [하루/이틀] 동안 여행을 간다.
(일일/이일: 한자어, 하루/이틀: 고유어)

도움말▲ '고유어'는 한 민족이 본래부터 가지고 있는 말이에요.

다음 날짜를 나타내는 고유어를 [보기]에서 찾아 써 보세요.

보기: 사흘 나흘 닷새 엿새 이레 열흘 여드레 아흐레

① 삼일	⇨ 사흘		② 사일	⇨ 나흘	
③ 오일	⇨ 닷새		④ 육일	⇨ 엿새	
⑤ 칠일	⇨ 이레		⑥ 팔일	⇨ 여드레	
⑦ 구일	⇨ 아흐레		⑧ 십일	⇨ 열흘	

두 문장이 같은 뜻이 되도록 밑줄 친 낱말을 고유어로 바꿔 써 보세요.

① 이월 팔일이 할머니의 생신날이다.
⇨ 이월 여드레 가 할머니의 생신날이다.

② 오늘은 이 동네로 이사를 온 지 십일이 되는 날이다.
⇨ 이 동네로 이사를 온 지 열흘 이 되는 날이다.

3 쓰임을 바꾸는 말 -하다

'-하다'는 어떤 낱말에 붙어 움직임이나 상태를 나타내는 말로 바꾸어 주는 역할을 해요. '결심'이라는 낱말에 '-하다'가 붙으면 '굳게 마음을 정하다.'라는 뜻의 움직임을 나타내는 말로 쓰임이 바뀌어요.

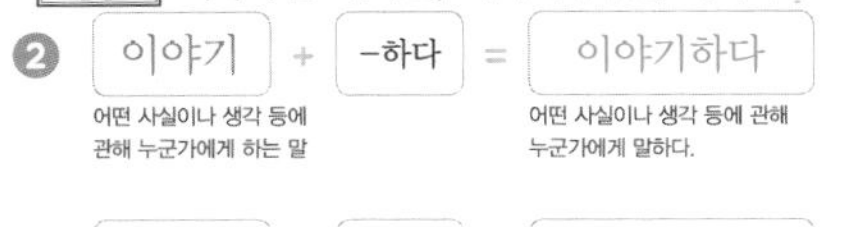

결심 + -하다 → 결심하다
(결심: 이름을 나타내는 말, 결심하다: 움직임을 나타내는 말)

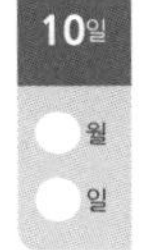

빈칸에 알맞은 낱말을 써 보세요.

① 마련 + -하다 = 마련하다
마련: 헤아려서 갖춤. / 마련하다: 헤아려서 갖추다.

도움말▼ '이야기'는 '얘기'로, '이야기하다'는 '얘기하다'로 줄여 쓸 수 있어요.

② 이야기 + -하다 = 이야기하다
이야기: 어떤 사실이나 생각 등에 관해 누군가에게 하는 말 / 이야기하다: 어떤 사실이나 생각 등에 관해 누군가에게 말하다.

③ 조율 + -하다 = 조율하다
조율: 악기의 음을 표준음으로 맞춤. / 조율하다: 악기의 음을 표준음으로 맞추다.

④ 안내 + -하다 = 안내하다
안내: 어떤 내용을 소개하여 알려 줌. / 안내하다: 어떤 내용을 소개하여 알려 주다.

⑤ 결심 + -하다 = 결심하다
결심: 마음을 굳게 정함. / 결심하다: 무엇을 하기로 마음을 정하다.

도움말▼ '우중충하다'는 사물의 성질이나 상태를 나타내는 말이에요.

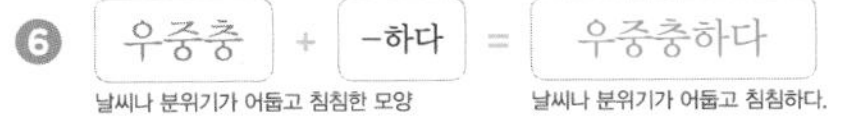

⑥ 우중충 + -하다 = 우중충하다
우중충: 날씨나 분위기가 어둡고 침침한 모양 / 우중충하다: 날씨나 분위기가 어둡고 침침하다.

4 잘못 쓰기 쉬운 말 헤엄치다

'헤엄치다'와 같은 낱말을 '해엄치다'로 잘못 쓰지 않도록 정확한 표기를 익혀 두어야 해요.

수영장에서 **헤엄치다**.
해엄치다(×)

밑줄 친 낱말을 알맞게 고쳐 써 보세요.

1. 꽃가루 때문에 자꾸 재체기가 난다. ⇨ 재채기
2. 먼지가 바닥으로 가라안자 뿌옇게 보였다. ⇨ 가라앉자
3. 간난아이가 너무 귀여워서 한참을 바라보았다. ⇨ 갓난아이
   도움말▲ '갓난아이'는 '갓난이', '신생아'로도 쓸 수 있어요.
4. 연못 속에는 많은 물고기들이 해엄치고 있었다. ⇨ 헤엄치고
5. 낭멀어지 아래에는 푸른 강물이 흐르고 있었다. ⇨ 낭떠러지
6. 파도가 바위에 부디쳐서 하얀 거품을 만들고 있다. ⇨ 부딪쳐서
   '부딪다'를 강조하여 이르는 말

5 자주 쓰는 말 눈이 높다

'눈이 높다'는 둘 이상의 낱말이 어울려 원래의 뜻과는 다른 새로운 뜻으로 굳어져서 쓰이는 말이에요. 이런 말을 관용어라고 해요.

그 여자는 남자를 보는 **눈이 높다**.
좋은 것만 찾다.

그는 작품을 보는 **눈이 높다**.
분별하는 능력이 좋다.

도움말▲ '눈이 낮다'는 '보는 수준이 높지 아니하다.'라는 뜻이에요.

빈칸에 알맞은 말을 [보기]에서 찾아 써 보세요.

보기

눈이 높다	눈에 불을 켜다	말문이 막히다
속이 타다	입만 살다	한숨을 돌리다

1. 아이의 엉뚱한 질문에 (말문이 막히다).
   말이 입 밖으로 나오지 않게 되다.
2. 거짓말이 들통날까 봐 (속이 타다).
   걱정이 되어 마음을 애태우다.
3. 바쁜 일을 끝내고 나서 (한숨을 돌리다).
   힘겨움을 넘기고 여유를 갖다.
   도움말▼ '눈에 불을 켜다'는 '화가 나서 눈을 부릅뜨다.'라는 뜻도 있어요.
4. 숨겨 둔 보물을 찾으려고 (눈에 불을 켜다).
   몹시 욕심을 내거나 관심을 기울이다.
5. 좋은 예술 작품만을 골라낼 만큼 (눈이 높다).
   사물을 보고 분별하는 능력이 좋다.
6. 제대로 하는 일 없이 말만 그럴듯하게 하는 것이 (입만 살다).
   행동은 없이 그럴듯하게 말은 잘하다.

6 소리를 흉내 내는 말 홀짝홀짝

'홀짝홀짝'은 '적은 양의 액체를 자꾸 들이마시는 소리'를 흉내 내는 말이에요. 소리를 흉내 내는 말을 쓰면 실제로 귀에 들리는 것과 같은 느낌을 전달할 수 있어요.

물을 **홀짝홀짝** 마시다.
적은 양의 액체를 자꾸 들이마시는 소리

빈칸에 알맞은 낱말을 [보기]에서 찾아 써 보세요.

보기

뚝뚝	우르르	아삭아삭	왁자지껄	홀짝홀짝	부스럭부스럭

1. 따뜻한 차를 (홀짝홀짝) 마시니 몸까지 따뜻해진다.
   적은 양의 액체를 자꾸 들이마시는 소리
   도움말▼ '뚝뚝'은 '큰 물방울 따위가 자꾸 아래로 떨어지는 소리'를 나타내는 말이에요.
2. 빗방울이 창가에 (뚝뚝) 떨어지는 소리가 듣기 좋다.
   작은 물방울 따위가 자꾸 아래로 떨어지는 소리
3. 쉬는 시간에 아이들이 교실에서 (왁자지껄) 떠들고 있다.
   여럿이 모여 시끄럽게 떠들고 지껄이는 소리
4. 사람들이 낙엽 위를 걸을 때마다 (부스럭부스럭) 소리가 났다.
   낙엽이나 종이 따위와 같은 물체를 자꾸 밟거나 만질 때 나는 소리
5. 김밥에 들어 있는 오이가 (아삭아삭) 씹히는 맛이 참 좋다.
   싱싱한 과일이나 채소 따위를 베어 물 때 자꾸 나는 소리
6. 하늘에서 번개가 치더니 이어서 (우르르) 쾅쾅 하는 소리가 들렸다.
   폭포수가 쏟아져 내리거나 천둥이 울리는 소리

7 두 가지 형태가 모두 쓰이는 말 맨날

'맨날'과 '만날'은 형태는 다르지만 같은 뜻의 낱말이에요. 보통 하나의 낱말만을 표준어로 정해 두고 쓰지만, 사람들이 자주 사용하는 말은 추가로 표준어로 인정하기도 해요.

동생은 **맨날** 늦잠을 잔다.
= 만날

밑줄 친 낱말과 뜻이 같은 표준어를 찾아 ○표 하세요.

1. 가뭄이 계속되자 벼가 다 말라 죽었다. ⇨ 가말 / (가물)
   오랫동안 계속하여 비가 내리지 않아 메마른 날씨
2. 할머니는 심심할 때면 마실을 다니신다. ⇨ 마슬 / (마을)
   이웃에 놀러 가는 일
3. 나는 돼지고기보다 소고기를 더 좋아한다. ⇨ 소게기 / (쇠고기)
4. 학교 가는 길에 핀 노란 민들레가 예쁘다. ⇨ (이쁘다) / 얘쁘다
5. 서현이는 사소한 일로 삐져서 집에 가 버렸다. ⇨ 삐꿔서 / (삐쳐서)
6. 밥을 할 때 찹쌀을 섞으면 밥이 차지고 맛이 좋다. ⇨ (찰지고) / 쳐지고
   끈기가 많다.

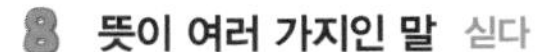

8 뜻이 여러 가지인 말 싣다

'싣다'는 '운반하기 위해 탈것 따위에 물체를 올리다.'라는 뜻 이외에도 여러 가지 뜻으로 쓰이는 낱말이에요.

차에 짐을 **싣다.** (물체를 올리다.)	차에 몸을 **싣다.** (탈것에 오르다.)	잡지에 글을 **싣다.** (출판물에 내다.)

밑줄 친 낱말에 알맞은 뜻을 찾아 연결하세요.

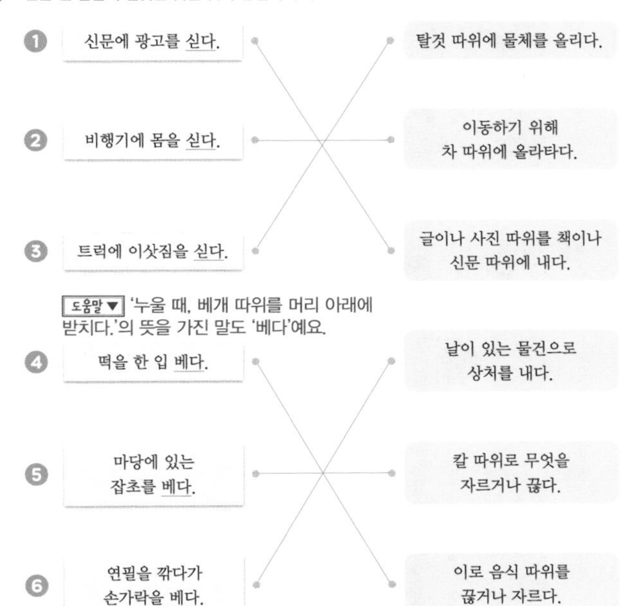

1. 신문에 광고를 싣다. — 글이나 사진 따위를 책이나 신문 따위에 내다.
2. 비행기에 몸을 싣다. — 이동하기 위해 차 따위에 올라타다.
3. 트럭에 이삿짐을 싣다. — 탈것 따위에 물체를 올리다.

도움말▼ '누울 때, 베개 따위를 머리 아래에 받치다.'의 뜻을 가진 말도 '베다'예요.

4. 떡을 한 입 베다. — 이로 음식 따위를 끊거나 자르다.
5. 마당에 있는 잡초를 베다. — 칼 따위로 무엇을 자르거나 끊다.
6. 연필을 깎다가 손가락을 베다. — 날이 있는 물건으로 상처를 내다.

9 주제별 어휘 연주자

'음악을 연주하는 데 쓰는 기구'인 악기에는 각각 이름이 있어요. 그 악기를 연주하는 사람을 이르는 말 역시 따로 있으니 잘 알아 두도록 해요.

그는 **피아노**(악기 이름)를 연주하는 **피아니스트**(악기 연주자)이다.

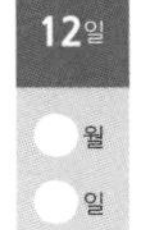

빈칸에 알맞은 낱말을 써 보세요.

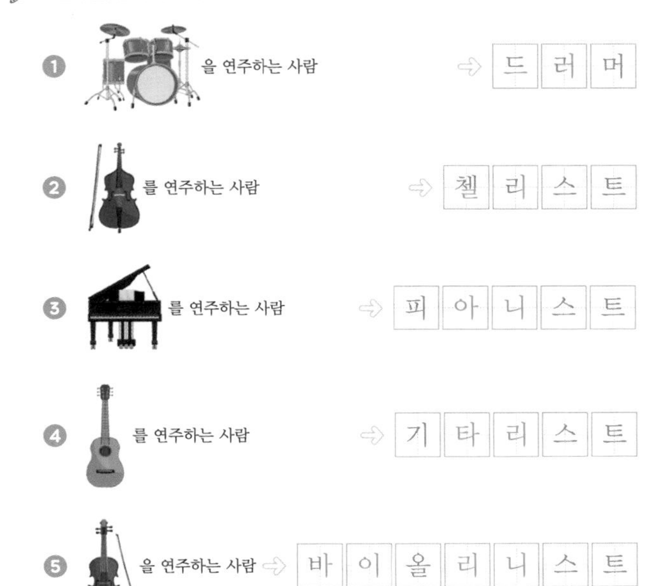

1. 을 연주하는 사람 ⇨ 드러머
2. 를 연주하는 사람 ⇨ 첼리스트
3. 를 연주하는 사람 ⇨ 피아니스트
4. 를 연주하는 사람 ⇨ 기타리스트
5. 을 연주하는 사람 ⇨ 바이올리니스트

10 타교과 어휘 수학

밑줄 친 낱말에 알맞은 뜻을 찾아 연결하세요.

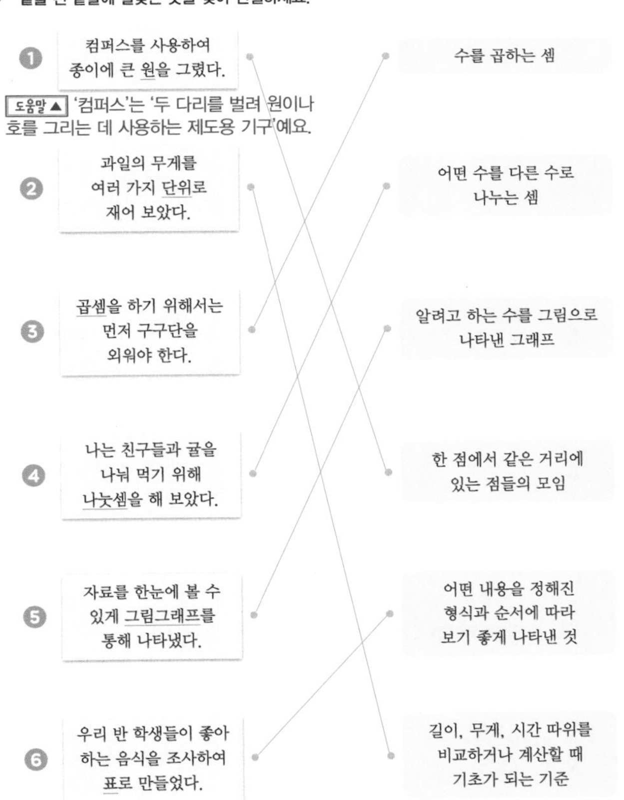

1. 컴퍼스를 사용하여 종이에 큰 원을 그렸다. — 한 점에서 같은 거리에 있는 점들의 모임

도움말▲ '컴퍼스'는 '두 다리를 벌려 원이나 호를 그리는 데 사용하는 제도용 기구'예요.

2. 과일의 무게를 여러 가지 단위로 재어 보았다. — 길이, 무게, 시간 따위를 비교하거나 계산할 때 기초가 되는 기준
3. 곱셈을 하기 위해서는 먼저 구구단을 외워야 한다. — 수를 곱하는 셈
4. 나는 친구들과 귤을 나눠 먹기 위해 나눗셈을 해 보았다. — 어떤 수를 다른 수로 나누는 셈
5. 자료를 한눈에 볼 수 있게 그림그래프를 통해 나타냈다. — 알려고 하는 수를 그림으로 나타낸 그래프
6. 우리 반 학생들이 좋아하는 음식을 조사하여 표로 만들었다. — 어떤 내용을 정해진 형식과 순서에 따라 보기 좋게 나타낸 것

빈칸에 알맞은 낱말을 [보기]에서 찾아 써 보세요.

보기
몫 들이 영점 나머지 반지름 자연수

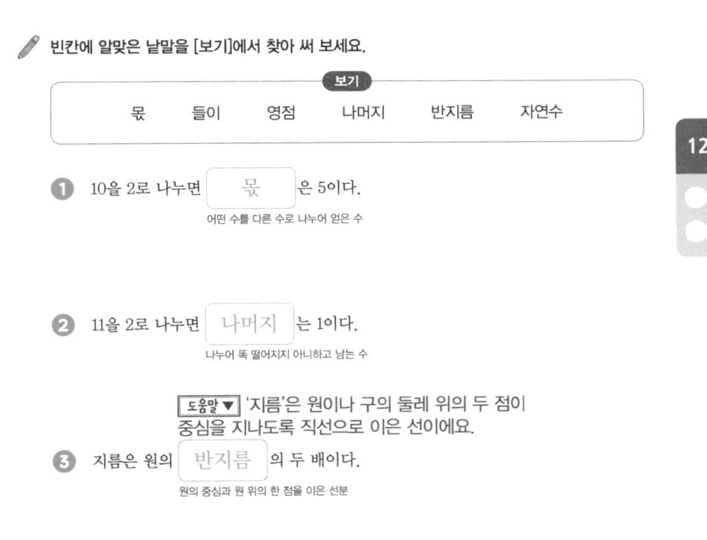

1. 10을 2로 나누면 [몫]은 5이다. (어떤 수를 다른 수로 나누어 얻은 수)
2. 11을 2로 나누면 [나머지]는 1이다. (나누어 똑 떨어지지 아니하고 남는 수)

도움말▼ '지름'은 원이나 구의 둘레 위의 두 점이 중심을 지나도록 직선으로 이은 선이에요.

3. 지름은 원의 [반지름]의 두 배이다. (원의 중심과 원 위의 한 점을 이은 선분)
4. 3보다 작은 한 자리 [자연수]는 1하고 2 두 개이다. (1부터 시작하여 하나씩 더하여 얻는 수를 통틀어 이르는 말)
5. 여기에 있는 물병들은 [들이]가 모두 제각각이다. (통이나 그릇 따위의 안쪽이 차지하는 부피의 크기)
6. 저울로 무게를 재려면 우선 저울을 [영점]으로 맞추어야 한다. (눈금에서 0으로 표시된 점)

12일
월
일

5장 바르게 대화해요

국어 교과서 164~185쪽

1 높임 표현

웃어른과 대화할 때에는 공손하고 예의 바르게 말해야 해요. 또, 웃어른에게는 높임의 뜻이 있는 낱말을 사용해야 하고 사물에는 높임 표현을 사용하지 않도록 해요.

할머니 **생신** 축하해요. 생일(×)	남은 물건이 **없어요.** 없으세요(×)

✎ 다음 대화에서 알맞은 높임 표현을 찾아 ○표 하세요.

1. 나는 부모님을 (데리고 / (모시고)) 학교에 갔다.
2. 할아버지, ((연세) / 나이)가 어떻게 되세요?
3. 선생님, 지금 과학실에 (가는 / (가시는)) 길이에요?
4. 손님, 주문하신 사과 주스 한 잔 (나오셨습니다 / (나왔습니다)).
5. 손님이 찾으시는 사이즈는 ((품절입니다) / 품절이십니다).

✎ 밑줄 친 표현을 알맞은 높임 표현으로 고쳐 써 보세요.

1. 선생님, 내일 볼게요.
   ⇨ 뵐게요

2. 
   엄마께서 부엌에 있어요.
   ⇨ 계세요

3. 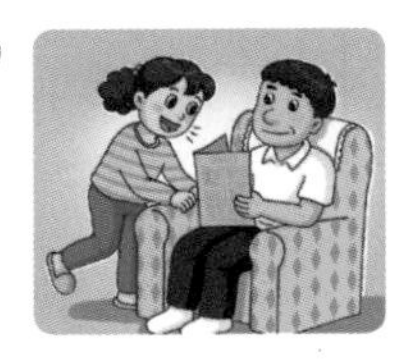
   아버지, 저랑 야구 보러 가자.
   ⇨ 가요

4. 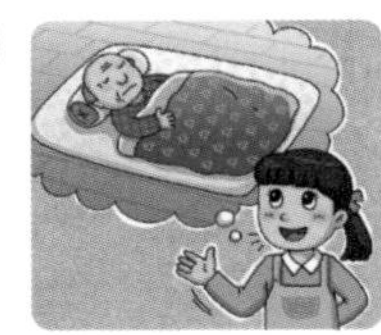
   할아버지께서 방에서 자고 계세요.
   ⇨ 주무시고

2 바꿔 쓸 수 있는 말 대견하다

'대견하다'는 '마음에 들고 자랑스럽다.'라는 뜻으로 비슷한 뜻을 가진 '기특하다'와 바꿔 쓸 수 있어요.

인사를 잘해서 **[대견하다 / 기특하다].**
바꿔 쓸 수 있음.

✎ 밑줄 친 낱말과 바꿔 쓸 수 있는 낱말을 [보기]에서 찾아 써 보세요.

보기

기대하다 대견하다 부담하다 속상하다 애먹이다 충만하다

1. 요즘 살이 쪄서 괴롭다. ⇨ 속상하다
   마음이 불편하고 우울하다.
2. 올 한 해의 행복을 소망하다. ⇨ 기대하다
   어떤 일이 이루어지기를 바라고 기다리다.
3. 꽃 가게에 꽃향기가 가득하다. ⇨ 충만하다
   한껏 꽉 찬 상태에 있다.
4. 학비를 자기가 전부 책임지다. ⇨ 부담하다
   어떤 의무나 책임을 지다.
5. 시험을 통과한 아들이 기특하다. ⇨ 대견하다
   마음에 들고 자랑스럽다.
6. 아기가 밤낮으로 울어 부모 마음을 애태우다. ⇨ 애먹이다
   속이 상할 정도로 어려움을 겪게 하다.

3 낱말 퀴즈

✎ 밑줄 친 부분의 글자 순서를 바르게 고쳐 써 보세요.

1. 철수는 손님에게 손공게하 인사를 했다. ⇨ 공 손 하 게
   말이나 행동이 겸손하고 예의 바르게
2. 그는 자신의 권리를 당게하당 주장했다. ⇨ 당 당 하 게
   남 앞에 내세울 만큼 모습이나 태도가 떳떳하게
3. 도움말▼ '오만하다'는 '거만하다'와 바꿔 쓸 수 있어요.
   그의 만오한 성격 때문에 친구를 잃었다. ⇨ 오 만 한
   잘난 체하고 건방진
4. 우리는 서로 하동협여 청소를 빨리 끝냈다. ⇨ 협 동 하 여
   서로 마음과 힘을 하나로 합하여
5. 고개를 끄덕이는 걸 보니 감는공하 것 같다. ⇨ 공 감 하 는
   남의 의견, 감정 등에 자기도 그렇다고 느끼는
6. 소수의 의견도 중하는존 태도를 지녀야 한다. ⇨ 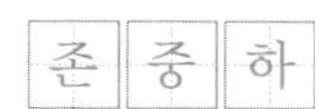 존 중 하 는
   높이어 귀중하게 대하는

4 잘못 쓰기 쉬운 말 윗-, 웃-

'윗-'과 '웃-'은 '위'의 뜻을 더하는 말이에요. 위, 아래의 구분이 있는 경우에는 '윗-'을 쓰고 구분이 없는 경우에는 '웃-'을 써요.

윗니에 충치가 있다. 위, 아래 구분이 있음.

웃어른께 인사한다. 위, 아래 구분이 없음.

다음 문장에 알맞은 낱말을 찾아 ○표 하세요.

1. 나는 (웃입술 / 윗입술)을 깨무는 버릇이 있다.
2. 아이들이 계곡에서 (웃통 / 윗통)을 벗은 채로 뛰논다. 윗옷
3. 앉은 채로 (웃몸 / 윗몸)을 뒤로 젖혀 스트레칭을 한다.
   도움말▲ '스트레칭'은 '몸과 팔다리를 쭉 펴는 것'이에요.
4. 열이 많은 아이들은 차가운 (웃목 / 윗목)으로 가서 앉았다. 온돌방에서, 아궁이에서 멀고 굴뚝에 가까운 방바닥
5. 칫솔질할 때는 (웃니 / 윗니)와 아랫니를 골고루 닦아야 한다.

   도움말▼ '웃어른'은 있지만 '아래어른'이라는 말은 없어요.
6. (웃어른 / 윗어른)들을 만나면 인사를 잘해야 한다.

5 형태는 같은데 뜻이 다른 말 소화

'음식물을 뱃속에서 분해하여 영양분으로 흡수함.'이라는 뜻을 가진 '소화'와 '불을 끔.'이라는 뜻을 가진 '소화'는 형태는 같지만 전혀 다른 낱말이에요.

음식을 소화하다. 음식물을 뱃속에서 분해하여 영양분으로 흡수함.

화재를 소화하다. 불을 끔.

빈칸에 공통으로 들어갈 낱말을 써 보세요.

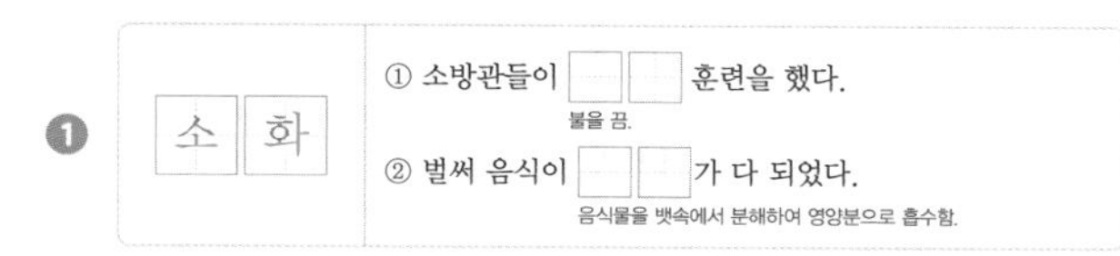

1. 소화
   ① 소방관들이 ☐☐ 훈련을 했다. 불을 끔.
   ② 벌써 음식이 ☐☐가 다 되었다. 음식물을 뱃속에서 분해하여 영양분으로 흡수함.
2. 풀
   ① 앞마당에 ☐이 많이 자랐다. 부드러운 식물을 이르는 말
   ② 도배를 하려고 벽지에 ☐을 발랐다. 끈끈한 물질

   도움말▲ '풀'은 '힘 있는 기세나 활발한 기운'이라는 뜻으로도 쓰여요. 예 풀이 꺾이다.
3. 김
   ① 창문에 ☐이 서렸다. 수증기가 차갑게 되어 엉긴 작은 물방울
   ② 농부가 밭에서 ☐을 매고 있다. 논밭에 난 잡풀
4. 딱지
   ① 상처 부위에 ☐☐가 생겼다. 상처가 말라 붙어 생긴 껍질
   ② 쉬는 시간에 아이들이 ☐☐를 쳤다. 종이를 네모나게 접어 만든 장난감

6 올바른 발음 답답하다[답따파다]

'ㅎ'이 특정한 자음과 만나면 두 음이 합쳐져서 다른 소리로 발음 돼요. '답답하다'에서 'ㅂ'이 'ㅎ'을 만나면 [ㅍ]으로 소리가 나요.

답답하다 → [답따파다] (ㅎ을 만나 / ㅂ이 / [ㅍ]으로 소리가 남.)

밑줄 친 낱말의 알맞은 발음을 찾아 ○표 하세요.

1. 귀여운 아이를 무릎에 앉히다. → [안치다] [안히다]
2. 옆에 앉은 사람과 간격을 넓히다. → [널피다] [너피다]
   도움말▲ '넓히다'는 '넓다'에 '-히-'가 붙어 행동을 하게 하는 말이 되었어요.
3. 꽃병에 장미 한 송이가 꽂혀 있다. → [꼬처] [꼬펴]
4. 힘이 약한 도전자를 응원하기로 했다. → [야간] [야칸]
5. 친구가 다른 동네로 이사를 가서 섭섭하다. → [섭써바다] [섭써파다]
6. 친구와 전화를 끊자마자 엄마로부터 전화가 왔다. → [끈짜마자] [끈차마자]

더 알아두기

'ㄱ, ㄷ, ㅂ, ㅈ'이 앞 또는 뒤에 오는 'ㅎ'과 만나면 합쳐져서 각각 [ㅋ], [ㅌ], [ㅍ], [ㅊ]로 발음이 돼요. 이를 '거센소리'라고 해요.

7 띄어쓰기

낱말과 낱말 사이는 띄어 쓰는 것이 원칙이에요. 하지만 낱말에 붙어 그 말의 뜻을 도와주는 '은/는, 이/가' 등은 앞말과 붙여 써요.

학교 가는 친구

너는 나에게 좋은 친구야!

띄어 써야 할 부분에 주어진 횟수만큼 ✓표 하세요.

1. 이책이재미있습니다.(2회)
2. 우리이번주에축구할래?(3회)
3. 언어예절을지키며대화한다.(3회)
4. 글씨를좀더크게써보세요.(5회)
5. 나에게물건을빌려주어서고마웠어.(3회)
   도움말▲ '빌려주다'는 한 낱말이므로 붙여 써야 해요.
6. 전화를거는사람과받는사람이있다.(5회)

8 잘못 쓰기 쉬운 말 깨끗이, 특별히

꾸며 주는 말 중에서 '이'로 끝나는 말과 '히'로 끝나는 말은 구분해서 쓸 수 있어야 해요.

손을 **깨끗이** 씻다. (깨끗히(×))

특별히 음식을 만들다. (특별이(×))

다음 문장에 알맞은 낱말을 찾아 ○표 하세요.

1. 우리는 점심을 ((간단히) / 간단이) 먹고 운동장으로 달려 나갔다.
2. 탐험대는 다음 날 새벽 (일찍히 / (일찍이)) 다음 목적지로 향했다.
3. 많은 그림 중에서 영수의 그림이 ((특별히) / 특별이) 눈에 띄었다.
   도움말▲ '눈에 띄다'는 '두드러지게 드러나다.'라는 뜻이에요.
4. 그는 어려운 수술을 ((무사히) / 무사이) 마치고 병실에서 회복 중이다.
   아무 탈 없이 편안하게
5. 오랜만에 내 방을 (깨끗히 / (깨끗이)) 청소하고 나니 기분이 좋아졌다.
6. 이 지역에는 신석기 시대의 유물들이 ((고스란히) / 고스란이) 남아 있다.
   변하지 않고 그대로

9 자주 쓰는 말 손을 잡다

'손을 잡다'라는 말은 '서로의 손을 맞잡다.'의 원래 뜻도 있지만 '서로 힘을 합쳐 돕다.'라는 새로운 뜻으로도 자주 쓰여요.

친구와 **손을 잡고** 악수했다. (서로의 손을 맞잡고)

서로 **손을 잡고** 함께 일하기로 했다. (서로 힘을 합쳐)

빈칸에 알맞은 말을 [보기]에서 찾아 써 보세요.

보기: 눈에 차다 / 발이 넓다 / 발을 뻗다 / 손이 맵다 / 손을 잡다 / 가슴이 뜨겁다

1. 어려운 숙제를 다 하고 나서야 [발을 뻗다].
   걱정하거나 힘들던 일이 끝나 마음을 놓다.
2. 신라에 맞서기 위해 백제와 고구려가 [손을 잡다].
   서로 힘을 합쳐 돕다.
3. 많은 연예인과 친분이 있는 저 가수는 [발이 넓다].
   아는 사람이 많아 활동 범위가 넓다.
   도움말▲ '친분'은 '아주 가깝고 두터운 정'을 뜻하는 말이에요.
4. 올림픽에서 메달을 딴 저 선수를 생각하면 [가슴이 뜨겁다].
   마음의 감동이 크다.
5. 옷 가게 안의 화려하고 예쁜 옷들이 아이의 [눈에 차다].
   흡족하게 마음에 들다.
6. 한번 시작한 일을 항상 완벽하게 끝내는 영수는 [손이 맵다].
   일하는 것이 빈틈없고 야무지다.
   도움말▲ '손이 맵다'는 '손으로 슬쩍 때려도 몹시 아프다.'라는 뜻도 있어요.

10 타교과 어휘 사회

빈칸에 알맞은 낱말을 찾아 ○표 하고, 바르게 써 보세요.

1. 단오에는 [창포물]에 머리를 감는다. ⇨ 포도물 / (창포물)
   창포의 잎과 뿌리를 우려낸 물
   도움말▲ '단오'는 우리나라 명절의 하나로 음력 5월 5일이에요.
2. 보름날 밤에 밖으로 나가 [쥐불놀이]를 했다. ⇨ 불꽃놀이 / (쥐불놀이)
   풍년을 바라는 마음으로 마른 풀에 불을 붙이는 놀이
3. 대보름날 가족끼리 둘러앉아 [부럼]을 먹었다. ⇨ (부럼) / 과일
   대보름날 깨물어 먹는 딱딱한 열매류를 통틀어 이르는 말
4. 할머니께서는 [동지]에 꼭 팥죽을 끓이신다. ⇨ (동지) / 설날
   1년 중 밤이 가장 길고 낮이 가장 짧은 날
5. 매년 설날이 되면 [설빔]을 입고 세배를 한다. ⇨ 가운 / (설빔)
   설을 맞이하여 새로 장만하여 입는 옷과 신발
6. 집안에 복이 오길 바라며 벽에 [복조리]를 걸었다. ⇨ (복조리) / 국자
   초하룻날 새벽에 벽에 걸어 놓는 조리

빈칸에 알맞은 낱말을 [보기]에서 찾아 써 보세요.

보기: 시루 / 베틀 / 가마솥 / 아궁이 / 탈곡기 / 트랙터

1. [시루]
   떡을 찌는 데 쓰는, 바닥에 구멍이 난 둥근 그릇
   도움말▲ '시루떡'은 '떡가루에 콩이나 팥 등을 섞어 시루에 넣고 찐 떡'이에요.
2. [탈곡기]
   곡식의 낟알을 털어 내는 데 쓰이는 기계
3. [가마솥]
   쇠로 만든 아주 큰 솥
4. [베틀]
   실로 삼베나 무명 등의 천을 짜는 틀

5. [트랙터]
   논밭에서 땅을 파거나 흙을 일어내는 자동차

6. [아궁이]
   방, 가마, 솥 등을 덥히려고 불을 지피는 구멍

1 꾸며 주는 말 이미

'이미'는 다 끝나거나 지난 일을 이를 때 쓰는 말이에요. '벌써', '앞서'의 뜻을 나타내지요. 이러한 말은 다른 말을 꾸며 주는 역할을 해요.

이미 말했듯이 선생님 말씀을 잘 들어야 한다.
꾸며 줌.

빈칸에 알맞은 낱말을 [보기]에서 찾아 써 보세요.

보기: 그만 당장 그제야 억지로 이윽고

도움말 '당장'은 '즉시'와 바꿔 쓸 수 있어요.

1. 훈련의 효과는 [당장] 나타났다.
   일이 일어난 바로 직후의 빠른 시간
2. 다리가 풀리면서 [그만] 그 자리에 주저앉았다.
   그대로 곧
3. 아기의 등을 토닥이자 [그제야] 아기는 울음을 그쳤다.
   그때에 이르러서야 비로소
4. 잠을 더 자고 싶었는데 알람 소리에 [억지로] 일어났다.
   이치나 조건에 맞지 아니하게 강제로
5. 빗방울이 한두 방울 떨어지더니 [이윽고] 비가 세차게 내리기 시작했다.
   얼마쯤 흐른 뒤에

2 잘못 쓰기 쉬운 말 돌멩이

'돌멩이'를 '돌맹이'로 잘못 쓰지 않게 주의해야 해요. 맞춤법을 틀리기 쉬운 다른 낱말들도 잘 익혀서 바르게 쓰도록 해요.

나는 잽싸게 **돌멩이**를 주워 들었다.
돌맹이(×)

밑줄 친 낱말을 알맞게 고쳐 써 보세요.

1. 할머니께서 우리를 반갑게 맏이해 주셨다. → [맞이해]
2. 아이가 길을 가다가 돌맹이에 걸려 넘어졌다. → [돌멩이]
   돌덩이보다 작은 돌
3. 새로 태어난 강아지들은 전부 생김세가 달랐다. → [생김새]
4. 영수는 약속 시간에 늦을까봐 헐래벌덕 뛰어갔다. → [헐레벌떡]
   숨을 가쁘고 거칠게 몰아쉬는 모양
5. 나는 달리기를 하기 전에 운동화 끈을 단단히 묶었다. → [묶었다]

도움말 '새치기하다'는 '순서를 어기고 남의 자리에 슬며시 끼어들다.'를 뜻하는 말이에요.

6. 얌채같이 새치기하지 말고 줄을 바르게 서야 한다. → [얌체]
   부끄러움을 모르는 사람을 낮잡아 이르는 말

3 헷갈리기 쉬운 말 맞히다/맞추다

'맞히다'는 '목표에 던져 닿게 하다.', '답을 맞게 하다.'의 뜻으로 쓰이는 말이고 '맞추다'는 '바르게 붙이다.', '비교하여 살피다.' 등의 뜻으로 쓰이는 말이에요.

정답을 **맞히다**. (맞추다(×))　그림을 **맞추다**. (맞히다(×))

주어진 뜻을 참고하여 문장에 어울리는 낱말을 찾아 ○표 하세요.

맞히다	목표에 던져 닿게 하다. 답을 맞게 하다.
맞추다	제자리에 바르게 붙이다. 나란히 놓고 비교하여 살피다.

1. 깨진 조각들을 제자리에 잘 (맞추다 / 맞히다). [맞추다 ○]
2. 돌을 던져 목표 지점을 정확히 (맞추다 / 맞히다). [맞히다 ○]
3. 나는 수수께끼의 답을 정확히 (맞췄다 / 맞혔다). [맞혔다 ○]
4. 나는 시험이 끝나고 친구와 서로 답을 (맞췄다 / 맞혔다). [맞췄다 ○]

뒤처지다	물건이 뒤집혀서 안쪽이 겉으로 드러나다.
뒤쳐지다	능력이나 수준이 일정한 기준에 이르지 못하고 뒤떨어지다.

5. 그는 수영 실력이 남들보다 (뒤처진다 / 뒤쳐진다). [뒤처진다 ○]
6. (뒤처진 / 뒤쳐진) 현수막을 다시 바로 하여 걸었다. [뒤쳐진 ○]
7. 민수는 친구들보다 자꾸 걸음이 (뒤처졌다 / 뒤쳐졌다). [뒤처졌다 ○]

4 바꿔 쓸 수 있는 말 추천

'추천'은 '어떤 조건에 알맞은 대상을 상대에게 알려 줌.'의 뜻으로 '소개'와 서로 바꿔 쓸 수 있어요.

친구가 나에게 재미있는 영화를 **[추천 / 소개]**했다.
바꿔 쓸 수 있음.

밑줄 친 낱말과 바꿔 쓸 수 있는 낱말을 [보기]에서 찾아 써 보세요.

보기: 맹세 사정 상의 생떼 시기 추천

1. 그는 나와 의논도 없이 자기 맘대로 결정했다. → [상의]
   어떤 일에 대해 서로 의견을 주고받음.
2. 그는 어려운 처지에도 다른 사람들을 도우며 산다. → [사정]
   처하여 있는 상황이나 형편
3. 연지가 소개해 준 책은 정말 감동적이고 재밌었다. → [추천]
   모르는 사실이나 내용을 알려 줌.
4. 나는 두 번 다시 거짓말을 하지 않기로 다짐했다. → [맹세]
   마음이나 뜻을 굳게 가다듬어 정함.
5. 동생은 새로 나온 게임기를 사 달라고 억지를 부렸다. → [생떼]
   무리하게 하려고 하는 고집
6. 그는 자기보다 공부를 잘하는 친구에게 질투가 심하다. → [시기]
   괜히 미워하고 깎아내리려 함.

5 뜻을 더하는 말 -껏

'-껏'은 다른 말의 뒤에 붙여서 '그것이 닿는데 까지' 또는 '그때까지 내내'의 뜻을 더하는 말로 혼자서는 쓰일 수 없어요.

기껏 창문을 닦았더니 비가 내린다.
힘이 닿는 데까지

✎ 빈칸에 알맞은 낱말을 [보기]에서 찾아 써 보세요.

보기

마음껏 목청껏 성의껏 재주껏 지금껏

1. 우리는 [목청껏] 소리 질러 우리 편을 응원했다.
   있는 힘을 다하여 목소리를 크게
2. 그는 먼저 갈테니 [재주껏] 뒤따라 오라고 말했다.
   있는 재주를 다해서
3. 친절한 안내원이 내 질문에 [성의껏] 대답해 주었다.
   정성스러운 마음을 다해서
4. 우리는 자유 이용권을 사서 놀이 기구를 [마음껏] 탔다.
   마음에 흡족하도록

도움말▼ '지금껏'은 '여태껏', '이제껏'과 바꿔 쓸 수 있어요.

5. 민주는 약속 시간이 한참 지난 [지금껏] 나타나지 않는다.
   지금까지 내내

6 사람의 성격을 나타내는 말 솔직하다

'솔직하다'는 '거짓이나 숨김이 없이 바르다.'의 뜻으로 사람의 성격을 나타내는 말이에요. 이와 비슷한 뜻을 가진 말로는 '참되다', '정직하다', '진솔하다' 따위가 있어요.

새로 사귄 친구는 성격이 **솔직하다.**
참되다, 정직하다, 진솔하다

✎ 각 주머니의 낱말들과 비슷한 뜻을 가진 낱말을 [보기]에서 찾아 써 보세요.

보기

인색하다 상냥하다 섬세하다 쾌활하다

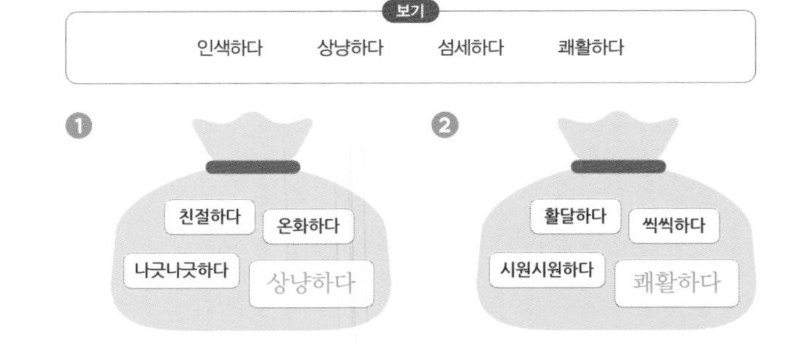

7 흉내 내는 말 쌩쌩

'쌩쌩'은 '바람이 세차게 스쳐 지나가는 소리나 모양'을 흉내 내는 말이에요.

찬바람이 **쌩쌩** 부는 겨울이다.
바람이 세차게 스쳐 지나가는 소리나 모양

✎ 빈칸에 알맞은 낱말을 써 보세요.

1.

⇨ 낙엽이 [우][수][수] 떨어진다.
물건이 한꺼번에 많이 쏟아지는 소리나 모양

2.

⇨ 여러 색의 털실이 [배][배] 꼬여 있다.
여러 번 꼬이거나 뒤틀린 모양

3.

⇨ 강아지들이 [옹][기][종][기] 모여 잠을 자고 있다.
작은 것들이 많이 모여 있는 모양

8 자주 쓰는 말 손뼉을 치다

'신체'와 관련된 자주 쓰는 말이 있어요. '손뼉을 치다.'는 '손뼉을 부딪쳐 소리 나게 하다.'라는 원래의 뜻 외에 '어떤 일에 찬성하거나 좋아하다.'라는 새로운 뜻으로도 자주 쓰여요.

네가 온다면 모두가 **손뼉을 치며** 환영할 거야.
찬성하거나 좋아하며

도움말▲ '손뼉'은 '손바닥과 손가락을 합친 전체 바닥'이에요.

✎ 빈칸에 알맞은 낱말을 [보기]에서 찾아 써 보세요.

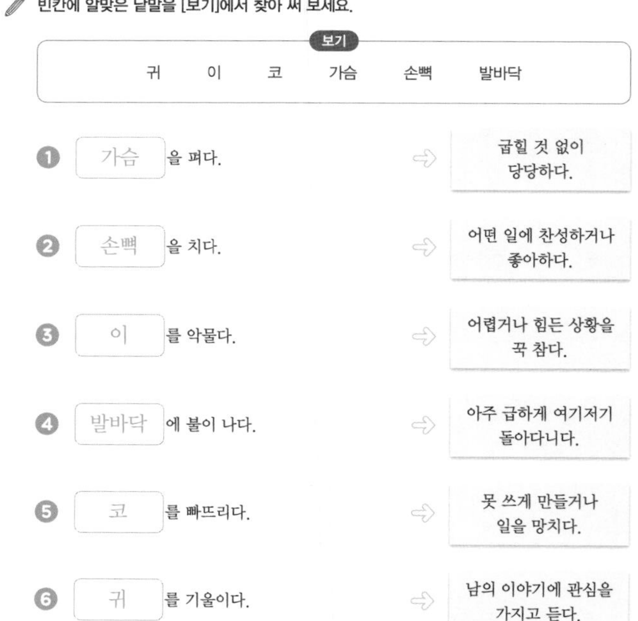

보기

귀 이 코 가슴 손뼉 발바닥

1. [가슴]을 펴다. ⇨ 굽힐 것 없이 당당하다.
2. [손뼉]을 치다. ⇨ 어떤 일에 찬성하거나 좋아하다.
3. [이]를 악물다. ⇨ 어렵거나 힘든 상황을 꼭 참다.
4. [발바닥]에 불이 나다. ⇨ 아주 급하게 여기저기 돌아다니다.
5. [코]를 빠뜨리다. ⇨ 못 쓰게 만들거나 일을 망치다.
6. [귀]를 기울이다. ⇨ 남의 이야기에 관심을 가지고 듣다.

9 헷갈리기 쉬운 말 –(는)대/–(는)데

어떤 말 뒤에 붙는 '–(는)대'와 '–(는)데'는 헷갈리기 쉬워요. '–(는)대'는 다른 사람에게 들을 말을 전할 때 쓰는 말이고, '–(는)데'는 말하는 사람이 예전에 겪었던 일을 말할 때 쓰는 말이에요.

민수는 곧 **도착한대.** (들은 말을 전할 때)

늦게 **나왔는데** 지각은 안 했다. (겪었던 일을 말할 때)

도움말▲ '–대'는 '–다고 해'를 줄여 쓴 말이에요. '민수는 곧 도착한대.'는 '민수는 곧 도착한다고 해.'라고 쓸 수 있지요.

다음 문장에 알맞은 낱말을 찾아 ○표 하세요.

1. 서진이는 감기가 심해서 오늘 못 (온데 / **온대**).
2. 친구를 만나러 가는 (**길인데** / 길인대) 조금 늦을 것 같다.
3. 필통에 지우개가 분명히 (**있었는데** / 있었는대) 어디 갔지?
4. 그 공연장에 입장하려면 오후 6시까지는 (가야한데 / **가야한대**).
5. 추워진다고 해서 겉옷을 (**가져왔는데** / 가져왔는대) 별로 안 춥다.
6. 발표 연습을 많이 (**했는데** / 했는대) 친구들 앞에 서니 매우 떨린다.

10 원고지 쓰기 둘째 줄

원고지 쓰기에서 한 문단 안에서는 줄 끝에 띄어쓰기 칸이 남지 않더라도 다음 줄 첫 칸부터 써야 해요. 한 문단 안에서는 시작하는 첫 줄의 첫 칸만을 비우고 다음 줄은 첫 칸부터 쓰는 규칙이 있어요.

	새	로	운		문	단	이		시	작	될		때	에	만
첫		칸	을		비	워	요	.							

띄어 써야 하더라도 둘째 줄은 첫 칸부터 써야 함.

다음 문장을 원고지에 띄어 써 보세요.

1. 있었던일과그때자신의감정을솔직하게쓴다.

	있	었	던		일	과		그	때	
자	신	의		감	정	을		솔	직	하
게		쓴	다.							

2. 상대에게하고싶은말을진심을담아부드럽게쓴다.

	상	대	에	게		하	고		싶	은
말	을		진	심	을		담	아		부
드	럽	게		쓴	다.					

3. 앞으로바라는점과자신의다짐을쓴다.

	앞	으	로		바	라	는		점	과
자	신	의		다	짐	을		쓴	다.	

11 타교과 어휘 과학

밑줄 친 낱말에 알맞은 뜻을 찾아 연결하세요.

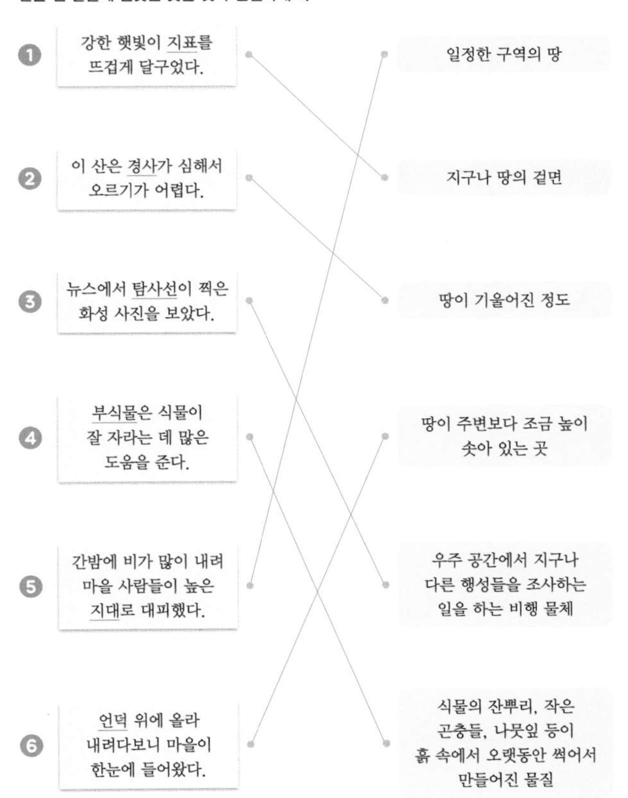

1 강한 햇빛이 지표를 뜨겁게 달구었다.
2 이 산은 경사가 심해서 오르기가 어렵다.
3 뉴스에서 탐사선이 찍은 화성 사진을 보았다.
4 부식물은 식물이 잘 자라는 데 많은 도움을 준다.
5 간밤에 비가 많이 내려 마을 사람들이 높은 지대로 대피했다.
6 언덕 위에 올라 내려다보니 마을이 한눈에 들어왔다.
일정한 구역의 땅
지구나 땅의 겉면
땅이 기울어진 정도
땅이 주변보다 조금 높이 솟아 있는 곳
우주 공간에서 지구나 다른 행성들을 조사하는 일을 하는 비행 물체
식물의 잔뿌리, 작은 곤충들, 나뭇잎 등이 흙 속에서 오랫동안 썩어서 만들어진 물질

밑줄 친 낱말의 뜻풀이가 적절하도록 알맞은 낱말을 찾아 ○표 하세요.

1. 이 강의 강폭은 꽤 넓다.
   ⇨ 강의 (길이 / **너비**)
2. 우리는 배를 타고 강의 상류로 갔다.
   ⇨ 흐르는 강이나 냇물의 (아랫부분 / **윗부분**)
   도움말▲ '흐르는 강이나 냇물의 아랫부분'은 '하류'라고 해요.
3. 폭포수가 절벽을 타고 떨어지고 있다.
   ⇨ 바위가 아주 높이 솟아 있는 (**가파른** / 완만한) 낭떠러지
4. 퇴적 작용이 활발한 곳을 관찰해 보았다.
   ⇨ 운반된 돌이나 흙이 (깎이는 / **쌓이는**) 것
5. 옥수수 알갱이를 튀겨 팝콘을 만들 수 있다.
   ⇨ 작고 동그랗고 (**단단한** / 물렁한) 물질
6. 사막에서는 한 방울의 물도 매우 소중하다.
   ⇨ 비가 아주 (**적게** / 많이) 내려서 동식물이 거의 살지 않고 모래로 뒤덮인 땅

18일

월

일

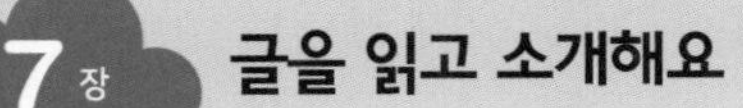

7장 글을 읽고 소개해요

국어 교과서 212~237쪽

1 독서 감상문

독서 감상문은 책 제목, 책을 읽은 까닭, 인상 깊은 부분, 책을 읽은 뒤에 든 생각이나 느낌 따위를 쓴 글을 말해요. 친구와 서로 독서 감상문을 바꿔 읽으면 서로의 생각을 비교하고 대화할 수 있는 좋은 기회가 돼요.

독서 감상문에 담는 내용에 알맞은 설명을 찾아 연결하세요.

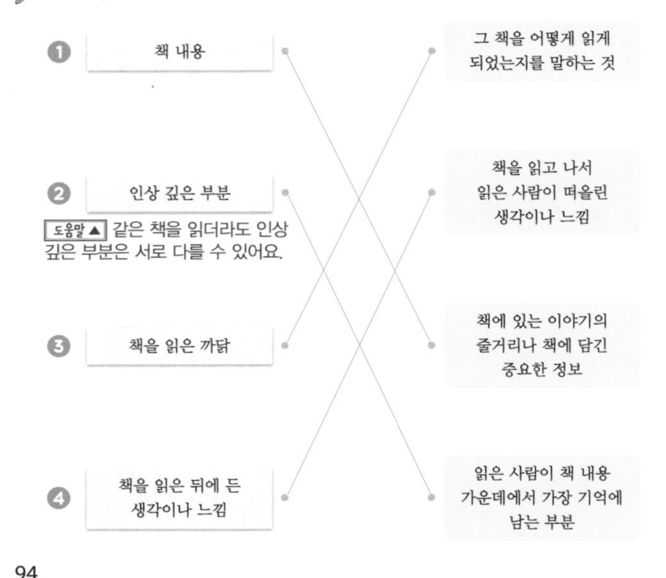

1. 책 내용 • — • 책에 있는 이야기의 줄거리나 책에 담긴 중요한 정보
2. 인상 깊은 부분 • — • 읽은 사람이 책 내용 가운데에서 가장 기억에 남는 부분

   도움말▲ 같은 책을 읽더라도 인상 깊은 부분은 서로 다를 수 있어요.
3. 책을 읽은 까닭 • — • 그 책을 어떻게 읽게 되었는지를 말하는 것
4. 책을 읽은 뒤에 든 생각이나 느낌 • — • 책을 읽고 나서 읽은 사람이 떠올린 생각이나 느낌

2 뜻을 더하는 말 한-

'한-'은 다른 말에 붙어 '큰'이나 '정확한', '한창인'의 뜻을 더하는 말이에요.

한-(큰) + 길 → 한길(넓은 길)

한-(한창인) + 여름 → 한여름(더위가 한창인 여름)

빈칸에 알맞은 낱말을 [보기]에서 찾아 써 보세요.

보기: 한길 한바탕 한밤중 한시름 한여름 한가운데

1. 택시를 잡으려고 [한길]로 나갔다. (사람이나 차가 많이 다니는 넓은 길)
2. 큰 배가 바다 멀리 [한가운데] 멈춰 있다. (공간이나 시간 등의 바로 가운데)

   도움말▼ '한밤중'은 '야밤중'으로도 쓸 수 있어요.
3. [한밤중]에 문을 두드리는 소리에 잠을 깼다. (밤의 한 가운데, 깊은 밤)
4. 쉬는 시간에 아이들은 [한바탕] 야단법석이었다. (크게 한 판)
5. 우리 가족은 [한여름] 더위를 피해 바닷가에 갔다. (더위가 한창인 여름)
6. 엄마는 누나가 대학에 합격해서 [한시름]을 놓으셨다. (큰 걱정)

19일 월 일

3 주제별 어휘 산

우리는 가끔씩 자연에서 쉼을 얻기 위해 산을 찾아요. 산속 동식물을 보며 산등성이를 따라 산을 오르다 보면 산봉우리를 지나 곧 산꼭대기에 이르게 되지요.

다음 설명에 알맞은 낱말을 그림에서 찾아 써 보세요.

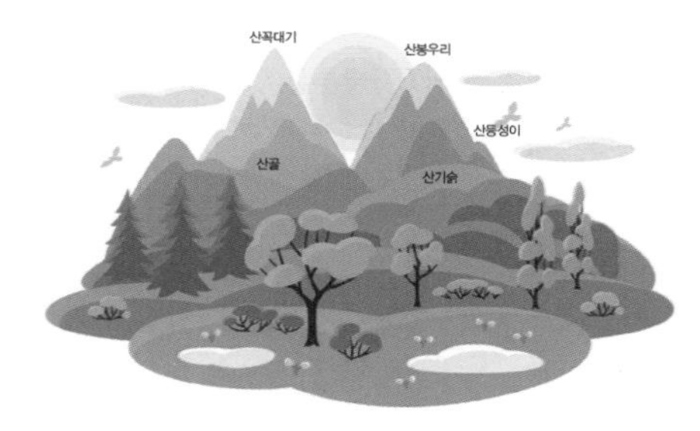

1. 산의 맨 위 ⇨ [산꼭대기]

   도움말▲ '산꼭대기'는 '산머리', '산이마' 따위로도 쓸 수 있어요.
2. 산의 등줄기 ⇨ [산등성이]
3. 깊고 외진 산속 ⇨ [산골]
4. 산 경사가 끝나는 평평한 부분 ⇨ [산기슭]
5. 산에서 뾰족하게 높이 솟은 부분 ⇨ [산봉우리]

4 띄어쓰기 체하다

'모르는 체하다.'에서 '체하다'는 앞말의 뜻을 보충해 주는 말이에요. 이러한 말들은 앞말과 띄어 쓰는 것이 원칙이지만 앞말에 붙여 적는 것이 허용돼요.

알고도 모르는 체하다. (원칙)

알고도 모르는체하다. (허용)

도움말▲ '체하다'는 '앞말이 뜻하는 행동이나 상태를 거짓으로 그럴듯하게 꾸밈을 나타내는 말'이에요. '척하다'도 이와 같은 말이지요.

다음 문장을 주어진 횟수에 따라 바르게 띄어 써 보세요.

1. 보고도못본체하다.(3회)

   보고도 못 본 체하다.
2. 혼자똑똑한척했다.(2회)

   혼자 똑똑한 척했다.
3. 장난으로자는체했다.(2회)

   장난으로 자는 체했다.
4. 못이기는체하고받았다.(3회)

   못 이기는 체하고 받았다.
5. 알고도모르는체했다.(2회)

   알고도 모르는 체했다.

19일 월 일

5 잘못 쓰기 쉬운 말 1 두드리다

'두드리다'는 '소리가 나도록 연속으로 치다.'라는 뜻이에요. '두들이다'로 잘못 쓰지 않도록 주의해야 해요.

방문을 똑똑 **두드리다.** 두들이다(×)

✎ 밑줄 친 낱말을 알맞게 고쳐 써 보세요.

1. 아무 반응이 없어 다시 한번 문을 <u>두들이다</u>. (소리가 나도록 연속으로 치다.) ⇨ 두드리다
2. 의자 등받이를 뒤로 <u>저치고</u> 몸을 기대었다. (뒤로 기울이고) ⇨ 젖히고
   도움말▲ '젖히다'는 '젖다'에 '–히'가 붙어 행동을 하게 하는 말이 되었어요.
3. 정수는 숙제를 <u>내팽게치고</u> 축구를 하러 갔다. (냅다 던져 버리고) ⇨ 내팽개치고
4. 너무 더워서 선수들의 체력이 한계에 <u>다달으다</u>. (어디에 또는 어떤 상태에 이르다.) ⇨ 다다르다
5. 우리가 합창 대회에서 예선 탈락한 것이 <u>안타갑다</u>. (뜻대로 되지 않아 가슴이 아프고 답답하다.) ⇨ 안타깝다
6. 잠에서 깬 동생의 머리카락이 마구 <u>헝크러져</u> 있었다. (가늘고 긴 실 따위가 풀기 힘들 정도로 얽혀) ⇨ 헝클어져

6 잘못 쓰기 쉬운 말 2 –ㄹ게, –ㄹ걸

'할게', '갈게' 또는 '할걸', '갈걸'과 같이 어떤 말 뒤에 붙는 '–ㄹ게', '–ㄹ걸'은 [께], [껄]로 소리 나더라도 쓸 때에는 '게', '걸'로 적어야 해요.

빨리 **갈게.** 갈께(×) 빨리 **갈걸.** 갈껄(×)

✎ 잘못된 부분에 ○표 하고, 알맞게 고쳐 써 보세요.

1. 운동 갔다 (올께요). ⇨ 올게요
2. 할머니, 모셔다 (드릴께요). ⇨ 드릴게요
   도움말▲ '모시다'는 '데리다'의 높임말이고 '드리다'는 '주다'의 높임말이에요.
3. 영수가 나보다 키가 (클껄). ⇨ 클걸
4. 한 시간만 놀고 숙제를 (할께요). ⇨ 할게요
5. 내일 다른 동네로 이사 (갈껄요). ⇨ 갈걸요
6. 밤에 충분히 잠을 자 (둘껄) 후회되네. ⇨ 둘걸

7 속담 갈수록 태산

속담은 옛날부터 사람들 사이에 전해 내려 오는 말로 소중한 교훈을 담고 있어요. 속담을 잘 활용하면 상황을 간단하고 효과적으로 표현할 수 있어요.

일이 점점 꼬여 가는 것이 **갈수록 태산**이군. '점점 어려운 상황에 처하게 되는 경우'

✎ 빈칸에 알맞은 낱말을 찾아 연결하고, 바르게 써 보세요.

1. 갈수록 [태산] — 점점 어려운 상황에 처하게 되는 경우
2. 산에서 [물고기] 잡기 — 도저히 불가능한 일을 하려고 애쓴다.
3. [티끌] 모아 태산 — 아무리 작은 것이라도 모이고 모이면 큰 것이 된다.
4. [닭] 쫓던 개 먼 산 쳐다보듯 — 애써 하던 일이 실패로 돌아가다.
5. 산에 가야 [범]을 잡지 — 방향을 제대로 잡고 노력해야 그 목적을 이룰 수 있다.

닭 / 티끌 / 태산 / 범 / 물고기

도움말▲ '범'은 '호랑이'와 같은 말이에요.

8 뜻이 반대인 말 많다 / 적다

'많다'의 반대말은 '적다'예요. '작다'라고 잘못 생각하기 쉬운데, '작다'는 '크다'의 반대말이지요.

사람이 **많다.** ↔ 사람이 **적다.** (반대의 뜻) 작다(×)

✎ 밑줄 친 낱말과 뜻이 반대인 낱말을 찾아 ○표 하세요.

1. 곰이 엄청나게 <u>크다</u>. ⇨ 적다 / 좁다 / (작다)
2. 우리는 혈액형이 <u>같다</u>. ⇨ 틀리다 / 맞다 / (다르다)
3. 그는 여행 경험이 <u>적다</u>. ⇨ 크다 / (많다) / 있다
4. 검산해 보니 답이 <u>맞다</u>. ⇨ (틀리다) / 아니다 / 다르다
   도움말▲ '검산'은 '계산이 맞았는지 틀렸는지를 확인하기 위해 다시 별도로 하는 계산'을 말해요.
5. 동생은 나보다 키가 <u>작다</u>. ⇨ 많다 / (크다) / 높다
6. 쌍둥이가 서로 성격이 <u>다르다</u>. ⇨ 틀리다 / 맞다 / (같다)

9 바꿔 쓸 수 있는 말 도대체

'도대체'는 주로 부정하는 말과 함께 쓰여 '전혀' 등의 의미를 나타내는 말이에요. 이러한 말은 다른 말을 꾸며 주는 말로 '도무지', '도저히'와 바꿔 쓸 수 있어요.

그와는 **[도대체 / 도무지 / 도저히]** 말이 안 통한다.
바꿔 쓸 수 있음.

✎ 밑줄 친 낱말과 바꿔 쓸 수 있는 낱말을 [보기]에서 찾아 써 보세요.

보기: 때때로 도무지 제각기 고스란히 난데없이

1. 수수께끼의 답을 도대체 알 수가 없었다. ⇨ 도무지
2. 아빠는 가끔 엄마에게 선물을 사 주셨다. ⇨ 때때로
3. 날이 맑았는데 갑자기 소나기가 쏟아졌다. ⇨ 난데없이
   도움말▲ '갑자기'는 '갑작스레', '느닷없이'와도 바꿔 쓸 수 있어요.
4. 이번 여행에서는 각자 도시락을 싸 오기로 했다. ⇨ 제각기
   도움말▲ '각자'는 '제각각', '제각기'와도 바꿔 쓸 수 있어요.
5. 유치원 때 그린 그림을 그대로 보관하고 있다. ⇨ 고스란히

10 형태는 같은데 뜻이 다른 말 길

'길'은 '사람이나 차 따위가 지나갈 수 있게 만든 곳'을 가리키는 낱말이에요. '물건을 쓰기에 익숙하게 만드는 것'을 뜻하는 낱말도 '길'이에요.

길이 넓다. (지나갈 수 있게 만든 곳)
가위가 **길**이 들다. (쓰기에 익숙하게 만드는 것)

✎ 밑줄 친 낱말에 알맞은 뜻을 찾아 연결하세요.

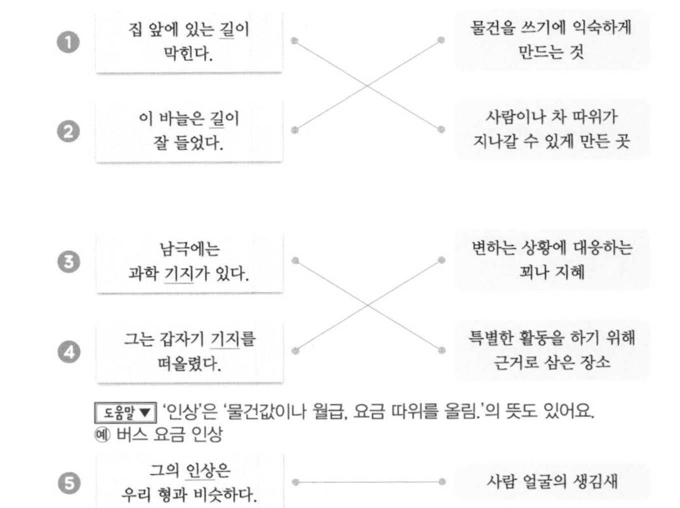

1. 집 앞에 있는 길이 막힌다. — 사람이나 차 따위가 지나갈 수 있게 만든 곳
2. 이 바늘은 길이 잘 들었다. — 물건을 쓰기에 익숙하게 만드는 것
3. 남극에는 과학 기지가 있다. — 특별한 활동을 하기 위해 근거로 삼은 장소
4. 그는 갑자기 기지를 떠올렸다. — 변하는 상황에 대응하는 꾀나 지혜

도움말▼ '인상'은 '물건값이나 월급, 요금 따위를 올림.'의 뜻도 있어요.
예 버스 요금 인상

5. 그의 인상은 우리 형과 비슷하다. — 사람 얼굴의 생김새
6. 책을 읽고 인상 깊은 내용을 소개했다. — 어떤 대상에 대하여 마음속에 새겨지는 느낌

11 타교과 어휘 도덕

✎ 빈칸에 알맞은 낱말을 써서 문장을 완성해 보세요.

1. 사람은 [공][동][체] 속에서 더불어 살아가는 존재이다.
   같은 이념 또는 목적을 가지고 있는 집단

   도움말▼ '개인의 이익'을 뜻하는 '사익'은 '공익'과 뜻이 반대인 말이에요.
2. 마을 사람들은 [공][익]을 위해 서로 힘을 합치기로 했다.
   공동의 이익
3. 내 동생은 주사를 맞기도 전에 아프다고 [엄][살]을 피웠다.
   아픔이나 괴로움을 거짓으로 꾸미거나 실제보다 부풀려서 나타냄.
4. 경수는 [책][임][감]이 강해서 반 아이들이 반장으로 뽑았다.
   맡아서 해야 할 일이나 의무를 중요하게 여기는 마음
5. 다리를 다친 나를 잘 도와주는 민정이는 꼭 [수][호][천][사] 같다.
   어려운 일이 있을 때 도움을 주는 사람을 빗대어 이르는 말
6. [공][공][장][소]에서는 다른 사람에게 피해가 가지 않도록 해야 한다.
   도서관, 공원, 우체국 등 여러 사람이 함께 이용하는 곳

7. 나는 언니에게 편지를 잘 [전][달]해 주었다.
   사물을 어떤 대상에게 전하여 받게 함.
8. 그는 친구에게 돈을 빌려주고 [증][서]를 받았다.
   권리, 의무, 사실 등을 증명하는 문서
9. 우리는 지금부터라도 오염된 환경을 [되][살][려][야] 한다.
   죽거나 없어졌던 것을 다시 살아나거나 생겨나게 해야
10. 우리 반 학생들이 저금통에 모은 돈은 고아원에 [기][부]할 계획이다.
    다른 사람이나 기관, 단체 등을 도울 목적으로 돈이나 재산을 대가 없이 내놓음.
11. 늘 달리기에서 꼴찌만 하던 내가 2등을 한 것은 [기][적]에 가까운 일이다.
    평범한 사람들의 지식이나 생각으로는 설명할 수 없을 만큼 이상하고 놀라운 일

    도움말▼ '보완'은 '보충', '보강'과 바꿔 쓸 수 있어요.
12. 이번 경기에서 보인 약점을 [보][완]하여 다음 경기에서는 꼭 이길 것이다.
    모자라거나 부족한 것을 보충하여 완전하게 함.

8장 글의 흐름을 생각해요

국어 교과서 238~267쪽

1 글의 흐름

일의 차례나 시간의 흐름, 장소의 변화에 따라 사건이 달라지는 글을 읽을 때에는 '차례, 시간, 장소'를 나타내는 말을 찾으면서 읽으면 글의 흐름을 파악하는 데 도움이 돼요.

다음 낱말들을 '차례, 시간, 장소'를 나타내는 말로 나눠 써 보세요.

첫 번째 박물관 놀이터 두 번째 오전 어젯밤 세 번째 열한 시 이틀날 학교 앞 공원

1. 차례를 나타내는 말 : 첫 번째, 두 번째, 세 번째
2. 시간을 나타내는 말 : 오전, 어젯밤, 이튿날, 열한 시
3. 장소를 나타내는 말 : 학교 앞, 공원, 박물관, 놀이터

주어진 낱말의 뜻을 생각하며 쓰이는 순서대로 써 보세요.

그다음으로, 우선, 끝으로

우선 ⇨ 그다음으로 ⇨ 끝으로

2 주제별 어휘 병

몸이 아플 때에는 병원을 가요. 병원에서 의사 선생님께 처방을 받아 약국에 가서 약을 지어 먹지요.

22일 월 일

뜻에 알맞은 낱말을 찾아 연결하고, 바르게 써 보세요.

1. 약을 먹음. — 복약
2. 뼈가 부러짐. — 골절
3. 병을 완전히 낫게 함. — 완치
4. 병을 치료하기 위해 약을 짓는 방법 — 처방
5. 의사가 환자를 진찰하고 치료하는 일 — 진료
6. 병을 앓을 때 나타나는 여러 가지 상태나 모양 — 증세

도움말▲ '골절'은 '절골'로도 쓸 수 있어요.

도움말▲ '증세'는 '증상'으로도 쓸 수 있어요.

도움말▲ '복약'은 '복용'으로도 쓸 수 있어요.

3 잘못 쓰기 쉬운 말 덥석

'갑자기 달려들어 물거나 잡는 모양'을 뜻하는 '덥석'은 [덥썩]이라고 발음되지만 '덥석'이라고 쓰는 것이 맞는 표현이에요.

덥석 손을 잡았다. (덥썩(×))

밑줄 친 낱말을 알맞게 고쳐 써 보세요.

1. 그는 눈섭 숱이 매우 많다. (눈 위나 눈의 가장 자리를 따라 난 털) ⇨ 눈썹
2. 설렁탕을 뚝빼기에 담았다. (찌개나 국밥을 담는 갈색 질그릇) ⇨ 뚝배기
3. 무례한 행동은 눈쌀을 찌푸리게 한다. (두 눈썹 사이에 잡히는 주름) ⇨ 눈살
   도움말▲ '눈살'은 '싫거나 미워서 날카롭게 쏘아보는 눈길'이라는 뜻으로도 쓰여요. 예 눈살이 따갑다.
4. 아침에 일어나 거울을 보고 눈꼽을 떼었다. (눈에서 나오는 끈끈한 액체, 또는 그것이 말라 붙은 것) ⇨ 눈곱
5. 여러 가지 색깔 실을 엮어 실 팔지를 만들었다. (팔목에 끼는 장신구) ⇨ 팔찌
6. 강가에 낚싯대를 던지자 물고기가 미끼를 덥썩 물었다. (갑자기 달려들어 물거나 잡는 모양) ⇨ 덥석

4 바꿔 쓸 수 있는 말 간단하다

'간단하다'는 '단순하고 손쉽다.'라는 뜻으로 '쉽다'와 바꿔 쓸 수 있어요. 비슷한 뜻을 가진 낱말들을 많이 알아 두면 풍부한 언어생활을 할 수 있어요.

이 일은 매우 [간단하다 / 쉽다]. (바꿔 쓸 수 있음.)

22일 월 일

다음 낱말 중 의미가 가장 다른 하나를 찾아 ○표 하세요.

1. 충분하다, 넉넉하다, 족하다, (부족하다)
   도움말▲ '부족하다'는 '필요한 양이나 기준에 모자라거나 충분하지 않다.'라는 뜻이에요.
2. 단장하다, (어지르다), 가꾸다, 꾸미다
3. 따뜻하다, 상냥하다, (냉정하다), 온화하다
   도움말▲ '냉정하다'는 '태도가 따뜻한 정이 없고 차갑다.'라는 뜻이에요.
4. (까다롭다), 쉽다, 간단하다, 손쉽다
5. 악독하다, 흉악하다, (흥흥하다), 포악하다
   도움말▲ '흥흥하다'는 '분위기가 매우 어수선하다.'라는 뜻이에요.
6. (해산하다), 모이다, 집합하다, 집결하다
   도움말▼ '해산하다'는 '모였던 사람들이 흩어지다. 또는 흩어지게 하다.'라는 뜻이에요.

5 한자로 이루어진 말 견학

'실제로 가서 보고 배우는 것'을 뜻하는 낱말인 '견학'은 한자어예요. 이와 같이 한자로 이루어진 말은 우리말의 절반 이상을 차지하고 있어요.

見(볼 견) + 學(배울 학) → 견학

밑줄 친 낱말을 따라 쓰고, 그 뜻에 해당하는 번호를 써 보세요.

1. 학교에서 방송국으로 견 학 을 갔다. (②)
   ① 여행의 경험을 적음.
   ② 실제로 가서 보고 배움.

2. 나는 '정직'을 좌 우 명 으로 삼고 있다. (②)
   ① 왼쪽과 오른쪽을 함께 이르는 말
   ② 늘 곁에 두고 가르침으로 삼는 말

3. 나는 매일 아침 하루 생활의 설 계 를 한다. (①)
   ① 계획을 세움.
   ② 마음속에 그려 봄.

4. 그가 하는 이야기의 앞뒤 맥 락 이 맞지 않다. (②)
   ① 기운이나 힘
   ② 서로 이어져 있는 관계

도움말▼ '발굴'은 '땅속이나 흙더미, 돌 더미 속에 묻혀 있던 것을 찾아서 파냄.'이라는 뜻으로도 쓰여요.

5. 능력이 있는 신인 발 굴 을 위해 대회를 열었다. (②)
   ① 없던 기술이나 물건을 새로 만들어 냄.
   ② 알려지지 않은 뛰어난 것을 찾아 밝혀냄.

6. 비둘기는 평화의 상 징 이다. (②)
   ① 느낌이나 생각 따위를 글이나 몸짓으로 나타냄.
   ② 추상적인 개념이나 사물을 구체적인 사물로 나타냄.

7. 그 영화는 천만 관객 동 원 에 성공했다. (②)
   ① 생각이나 의견이 같음.
   ② 사람이나 물자, 수단을 한데 모음.

8. 그는 결혼식에 간다고 복 장 에 잔뜩 신경을 썼다. (①)
   ① 옷차림
   ② 속에 품고 있는 생각

도움말▼ '폭서'도 '폭염'과 같은 말이에요.

9. 우리 가족은 계곡에 가서 물놀이로 폭 염 을 식혔다. (②)
   ① 매우 심한 갈증
   ② 매우 심한 더위

10. 작년에 비해 물 가 가 크게 올라 생활이 어려워졌다. (②)
    ① 물이 있는 가장자리
    ② 여러 가지 상품이나 서비스의 값

도움말▼ '어민'은 '어부'로도 쓸 수 있어요.

11. 이번 태풍으로 인해 어 민 들의 피해가 무척이나 컸다. (②)
    ① 바다를 좋아하는 사람
    ② 물고기 잡는 일을 하는 사람

6 뜻을 강조하는 말 -디

'-디-'는 반복되는 말 사이를 연결하고 그 뜻을 강조해 주는 말로 쓰여요. '넓다'의 '넓-'이 반복되어 쓰일 때 두 말을 연결해 주는 '-디-'가 붙어 '넓디넓다'와 같은 말이 만들어져요.

넓다 → (강조) 넓디넓다 (반복됨, '-디'가 붙은 후)

밑줄 친 부분을 한 낱말로 바꿔 써 보세요.

1. 잘 익은 복숭아가 매우 달다. ⇨ 달 디 달 다
2. 끝없이 펼쳐진 바다가 매우 넓다. ⇨ 넓 디 넓 다

도움말▲ '좁디좁다'는 '넓디넓다'와 뜻이 반대인 말이에요.

3. 바닥이 훤히 보일 만큼 개울이 매우 얕다. ⇨ 얕 디 얕 다
4. 무슨 약인지 먹지도 못할 만큼 매우 쓰다. ⇨ 쓰 디 쓰 다
5. 유명한 음식점 앞에 늘어선 줄이 매우 길다. ⇨ 길 디 길 다

도움말▲ '짧디짧다'는 '길디길다'와 뜻이 반대인 말이에요.

6. 가을 하늘이 매우 푸르다. ⇨ 푸 르 디 푸 르 다

7 뜻을 더하는 말 폐-, -처

주어진 글자를 활용하여 빈칸에 알맞은 낱말을 써 보세요.

폐-	'못 쓰게 된', '다 써 버린'의 뜻을 더하는 말

1. 폐 품 을 이용해 아이들 장난감을 만들었다. (못 쓰게 되어 버리는 물품)
2. 이 공원에는 폐 전 차 한 대가 전시되어 있다. (못 쓰게 되어 버려진 전차)
3. 환경 보호를 위해 폐 건 전 지 는 분리수거를 해야 한다. (못 쓰게 되어 버리는 건전지)

-처	'곳' 또는 '장소'의 뜻을 더하는 말

4. 이 서류는 5시까지 접 수 처 에 제출해야 한다. (문서나 금품 등을 접수받는 곳)
5. 잘못된 상품은 판 매 처 에서 교환해 주십시오. (상품 따위를 파는 곳)

도움말▼ '휴식처'는 '쉼터'로 쓸 수 있어요.

6. 이 공원은 나무가 많아 도심의 휴 식 처 로 인기가 많다. (잠시 쉴 수 있는 곳)

8 띄어쓰기 첫째 날, 이튿날

낱말과 낱말은 띄어 써야 해요. '첫째 날'은 '첫째'와 '날' 두 개의 낱말로 이루어졌으므로 띄어 써야 하지요. 하지만 '이튿날'은 '어떤 일이 있은 그다음의 날'의 뜻을 가진 하나의 낱말이므로 붙여 써야 해요.

첫째∨날 이튿날 세∨번째 오늘∨밤 옛날

다음 문장을 주어진 횟수에 따라 바르게 띄어 써 보세요.

1. 오늘밤에는달이밝다.(3회)

오	늘		밤	에	는		달	이		밝	다.

2. 첫째날에등산을한다.(3회)

첫	째		날	에		등	산	을		한	다.

3. 세번째줄에섰다.(3회)

세		번	째		줄	에		섰	다.		

4. 이튿날아침이밝았다.(2회)

이	튿	날		아	침	이		밝	았	다.	

5. 옛날의모습과다르다.(2회)

옛	날	의		모	습	과		다	르	다.	

9 올바른 발음 넓다[널따], 밝다[박따]

'넓다'처럼 두 개의 자음으로 이루어진 받침을 겹받침이라고 해요. 겹받침이 있는 낱말들은 표기와는 다르게 발음이 되므로 주의해야 해요.

ㄷ과 만나
넓다[널따]
'ㄼ'이 ㄹ+ㄸ으로 소리 남.

ㄷ과 만나
밝다[박따]
'ㄺ'이 ㄱ+ㄸ으로 소리 남.

도움말▲ 우리말의 받침은 'ㄱ ㄴ ㄷ ㄹ ㅁ ㅂ ㅇ' 중의 하나로만 소리가 나요.

밑줄 친 낱말의 알맞은 발음을 찾아 ○표 하세요.

1. 방바닥을 걸레로 닦다. → (닥따) [닦다]
   더러운 것을 없애려고 문지르다.
2. 탁 트인 바다가 아주 넓다. → (널따) [넙따]
   면이나 바닥 등의 면적이 크다.
3. 잘 익은 사과의 색깔이 붉다. → (북따) [불따]
   빛깔이 빨갛다.
4. 국수를 만들기 위해 면을 삶다. → [살:따] (삼:따)
   물에 넣고 끓이다.
   도움말▲ [삼:따]에서 ':'는 길게 발음하라는 뜻이에요.
5. 창문으로 들어오는 햇살이 밝다. → (박따) [발따]
   불빛 등이 환하다.
6. 여기저기 많이 돌아다녀서 신발이 다 닳다. → [달따] (달타)
   오래 쓰여서 낡아지거나 크기가 줄어들다.

10 타교과 어휘 사회

빈칸에 알맞은 낱말을 써서 문장을 완성해 보세요.

1. 그는 대학교 선생님께 [주][례]를 부탁드렸다.
   결혼식 따위의 식을 맡아 진행하는 일. 또는 그런 사람

   도움말▼ '혼례'는 '결혼식'과 같은 말이에요.
2. 우리 이모는 전통의 방식으로 [혼][례]를 치렀다.
   부부 관계를 맺는 서약을 하는 의식
3. 신랑과 신부는 [하][객]들의 축하를 받으며 입장하였다.
   축하하는 손님
4. 부모님께서는 신랑 신부에게 잘 살라고 [격][려]해 주셨다.
   용기나 의욕이 솟아나도록 북돋워 줌.
5. 결혼식을 마친 신랑과 신부는 집안 어른들께 [폐][백]을 올렸다.
   결혼식을 마친 신랑과 신부가 양쪽 집안 어른들에게 절을 하는 일
6. 그들은 결혼식을 올리고 나서 동사무소에서 [혼][인] 신고를 했다.
   남자와 여자가 부부가 되는 일

7. 오늘날에는 남녀의 [역][할] 구분이 없어졌다.
   맡은 일 또는 해야 하는 일

   도움말▼ '보금자리'는 '새가 알을 낳거나 깃들이는 곳'이라는 뜻도 있어요.
8. 그들은 도시에 작은 집을 얻어 [보][금][자][리]를 꾸몄다.
   지내기에 매우 포근하고 아늑한 곳을 비유적으로 이르는 말

   도움말▼ '핵가족'은 '소가족'으로도 쓸 수 있어요.
9. 우리 집은 부모님과 나, 동생이 함께 사는 [핵][가][족]이다.
   한 쌍의 부부와 결혼하지 않은 자녀만으로 이루어진 가족
10. 오늘날에는 개인 생활을 위해 [독][립]을 하는 경우가 늘어났다.
    부모와 떨어져 한 집안을 이루거나 혼자 힘으로 생활함.
11. 우리는 [가][족][회][의]를 통해 이번 휴가는 부산으로 가기로 정했다.
    가족끼리 하는 회의
12. 육이오 전쟁으로 인해 수많은 사람들이 [이][산][가][족]이 되었다.
    헤어지거나 흩어져서 떨어져 사는 가족

9장 작품 속 인물이 되어

국어 교과서 268~297쪽

1 주제별 어휘 연극

'연극'은 어떤 사건이나 이야기를 인물들의 말과 동작으로 사람들에게 보여 주는 무대 예술이에요. '연극'과 관련된 낱말들을 알아 두면 연극을 이해하는 데 도움이 돼요.

빈칸에 알맞은 낱말을 [보기]에서 찾아 써 보세요.

보기: 극본 무대 비극 소품 희극 역할극

1. 두 사람을 선정해 간단한 [역할극]을 꾸몄다.
   역할을 흉내 내는 짧은 연극
2. 슬프지 않고 한동안 웃을 수 있는 [희극]이 좋다.
   웃음을 주는 경쾌하고 밝은 연극
3. 조명을 밝히자 두 명의 배우가 [무대]에 나타났다.
   노래, 춤, 연극 등의 공연을 하기 위해 마련한 자리
4. 연극을 위한 다양한 [소품]은 미리 준비해 두었다.
   연극 공연에 필요한 물건
5. [비극]으로 끝나는 전쟁 영화를 보고 가슴이 아팠다.
   슬프면서 뜻이 깊은 내용을 다룬 극

도움말▼ '각본'도 '극본'과 같은 말이에요.

6. 배우들이 [극본]을 외우며 연극을 준비하느라 바쁘다.
   연극이나 영화를 만들기 위한 글

2 움직임을 나타내는 말 뛰쳐나오다

움직임을 나타내는 말을 잘 익혀 두면 이야기에서 인물의 행동을 파악하는 데 도움이 돼요. '뛰쳐나오다'는 '힘 있게 밖으로 뛰어나오다.'라는 뜻으로 '나오다'보다 강한 느낌을 줘요.

놀란 언니가 방에서 **뛰쳐나오다.**
힘 있게 밖으로 뛰어나오다.

밑줄 친 낱말의 뜻이 바르게 되도록 알맞은 낱말을 찾아 ○표 하세요.

도움말▼ '울부짖다'는 '우짖다'와 바꿔 쓸 수 있어요.

1. 산속에서 늑대가 밤새도록 울부짖었다.
   ⇨ 마구 울면서 (큰 / 작은) 소리를 내었다.
2. 희정이는 말귀를 잘 알아듣는다.
   ⇨ 남의 말을 듣고 그 뜻을 (안다 / 의심한다).
3. 수진이가 울고 있는 나에게 손수건을 내밀었다.
   ⇨ 물건을 (달라고 / 받으라고) 내어 주었다.
4. 닭이 갑자기 우리를 뛰쳐나와 마당에서 날뛰었다.
   ⇨ 힘 (없이 / 있게) 밖으로 뛰어나와
5. 동생이 내 옷소매를 잡아당겨서 옷이 찢어지고 말았다.
   ⇨ 잡아서 자기가 있는 쪽으로 (끌어서 / 밀어서)
6. 그는 적군에게 목숨만은 살려 달라고 애걸복걸하였다.
   ⇨ (씩씩하게 / 불쌍하게) 사정하며 간절히 빌었다.

3 꾸며 주는 말 잔뜩

'잔뜩'은 '정도가 심하거나 아주 많이'를 뜻하는 말이에요. 이와 같은 말들은 다른 말을 꾸며서 의미를 강조하는 역할을 해요.

지하철에 사람이 **잔뜩** 탔다.
꾸며 줌.

빈칸에 알맞은 낱말을 [보기]에서 찾아 써 보세요.

보기: 마구 얼른 잔뜩 죄다 여전히 하염없이

도움말▼ '잔뜩'은 '많이', '충분히'와 바꿔 쓸 수 있어요.

1. 감기에 걸려서 옷을 [잔뜩] 껴입었다.
   정도가 심하거나 아주 많이
2. 창밖에는 함박눈이 [하염없이] 내리고 있었다.
   별다른 생각 없이 계속되는 상태로
3. 시간이 너무 늦었으니 [얼른] 출발해야겠다.
   시간을 끌지 아니하고 바로
4. 봄이 되었는데도 밤에는 [여전히] 날이 쌀쌀하다.
   전과 같이
5. 공원에 사람들이 [마구] 버린 쓰레기들이 많다.
   아무렇게나 함부로
6. 비가 오자 놀이터에서 놀던 친구들이 [죄다] 집으로 돌아갔다.
   남김없이 모조리

4 잘못 쓰기 쉬운 말 -려고

어떤 행동을 할 목적을 드러낼 때 쓰는 말인 '-려고'를 '-ㄹ려고' 또는 '-ㄹ라고'로 잘못 쓰지 않도록 주의해야 해요.

자리에서 **일어나려고** 한다.
일어날려고(×), 일어날라고(×)

밑줄 친 낱말을 알맞게 고쳐 써 보세요.

1. 밥을 먹을려고 손을 씻었다.
   ⇨ [먹으려고]
2. 만화 영화를 볼려고 텔레비전을 켰다.
   ⇨ [보려고]
3. 학교에 지각을 하지 않을라고 뛰었다.
   ⇨ [않으려고]
4. 형은 등산을 갈라고 가방을 챙기고 있다.
   ⇨ [가려고]

5 수를 나타내는 말 한둘

우리말에는 '하나, 둘, 셋…'처럼 수를 나타내는 말이 있어요. '한둘', '두셋'과 같은 말은 '하나나 둘쯤', '둘이나 셋쯤'처럼 확실하지 않은 수를 나타낼 때 쓰는 말이에요.

하나나 둘쯤 → 한둘 (준말)

도움말▲ '일곱이나 여덟쯤'은 '일여덟, 일고여덟', '여덟이나 아홉쯤'은 '엳아홉, 여덟아홉', '열이 조금 넘는 수'는 '여남은'이에요.

다음 밑줄 친 부분을 하나의 낱말로 바꿔 써 보세요.

1. 길가에 학생 셋이나 넷쯤이 몰려 있었다. → 서 넛
2. 친척들 넷이나 다섯쯤이 모여 앉아 있다. → 네 댓

도움말▲ '네댓'은 '네다섯'으로도 쓸 수 있어요.

3. 집에 간 친구들이 둘이나 셋쯤은 되는 것 같다. → 두 셋
4. 이번 모임에서 아이들 여섯이나 일곱쯤이 빠졌다. → 예 닐 곱
5. 학생들 다섯이나 여섯쯤이 오고 있는 게 보인다. → 대 여 섯
6. 경시대회에 나갈 지원자가 하나나 둘쯤은 있을 것 같다. → 한 둘

6 한자성어 자신만만

네 개의 한자로 이루어져 자주 쓰이는 글귀를 '한자성어' 또는 '사자성어'라고 해요. 옛이야기(고사)가 배경이 되는 경우에는 '고사성어'라고 부르기도 하지요.

자신만만 = 自(스스로 자) + 信(믿을 신) + 滿(찰 만) + 滿(찰 만)

빈칸에 알맞은 한자성어를 [보기]에서 찾아 써 보세요.

보기: 동문서답 백발백중 일석이조 자신만만 작심삼일

1. 재미있었냐는 질문에 배고프다며 동문서답 만 하고 있다. (질문과는 전혀 상관없는 엉뚱한 대답)
2. 축구 시합에 나가는 친구들이 모두 자신만만 한 표정이다. (매우 자신이 있음.)

도움말▼ '일석이조'는 '일거양득'과 바꿔 쓸 수 있어요.

3. 자전거 타기는 재미도 있고 건강에도 좋으니 일석이조 이다. (동시에 두 가지 이득을 봄.)
4. 그 점쟁이는 내게 일어난 일들을 백발백중 으로 알아맞혔다. (어떤 계획이나 예상 등이 꼭꼭 들어맞음.)
5. 매일 한 시간씩 운동하기로 했는데 작심삼일 로 끝나고 말았다. (결심한 것이 사흘을 가지 못해 마음이 단단하지 못함을 이름.)

7 뜻이 여러 가지인 말 1 손

하나의 낱말이 여러 가지 의미를 가지고 있는 경우가 있어요. 대표적인 예로, '손'이라는 낱말은 신체의 일부를 가리키는 기본적인 의미 외에 다른 의미도 가지고 있지요.

다음 문장에 쓰인 낱말에 알맞은 뜻을 찾아 연결해 보세요.

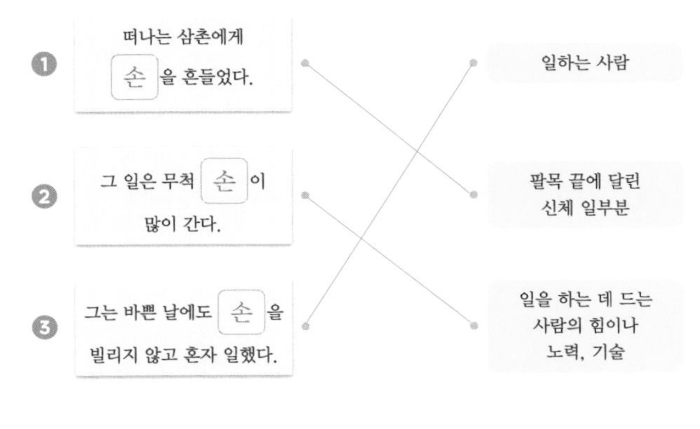

떠나는 삼촌에게 손 을 흔들었다.
그 일은 무척 손 이 많이 간다.
그는 바쁜 날에도 손 을 빌리지 않고 혼자 일했다.
일하는 사람
팔목 끝에 달린 신체 일부분
일을 하는 데 드는 사람의 힘이나 노력, 기술

도움말▼ '구멍'은 '어려움을 벗어나는 길'이라는 뜻으로도 쓰여요.
예) 빠져나갈 구멍이 없다.

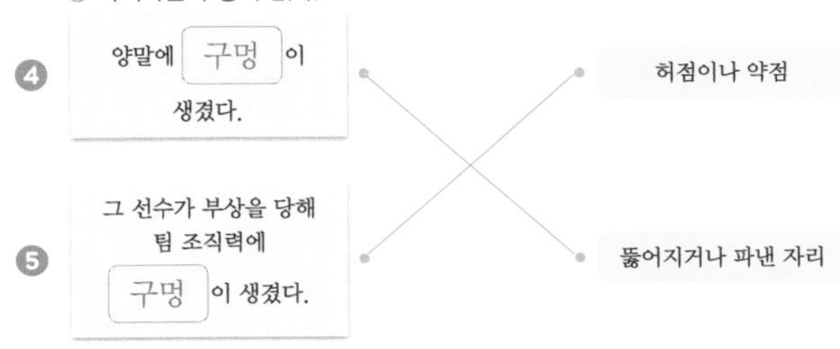

8 뜻이 여러 가지인 말 2 그늘

'그늘'이라는 낱말은 기본적으로 '햇빛이 가려진 어두운 부분'이란 뜻으로 쓰여요. 이런 의미에서 조금 달라져 '근심이나 불행으로 어두워진 마음'을 가리키는 말로도 쓰이지요.

빈칸에 공통으로 들어갈 낱말을 써 보세요.

1. 소금
   ① 졸업 후에는 세상의 빛과 ☐☐이 되길 바랍니다. (꼭 필요한 사람을 비유하는 말)
   ② 김장 김치를 만들 때에는 먼저 배추를 ☐☐에 절여야 한다. (짠맛을 내는 하얀 가루)

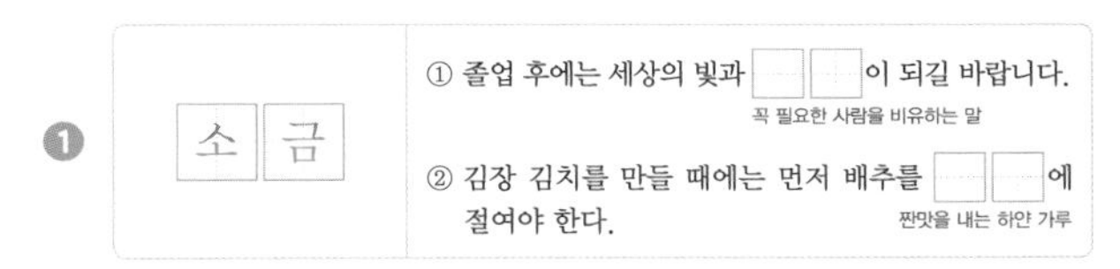

2. 바가지
   ① 할머니는 밥을 짓기 위해 ☐☐☐에 쌀을 담아 가셨다. (물을 푸거나 물건을 담는 데 쓰는 둥그런 그릇)
   ② 피서철이 되면 관광객들에게 ☐☐☐를 씌우는 가게가 많다. (물건값이 실제 가격보다 훨씬 비쌈.)

3. 그늘
   ① 우리 더운데 나무 ☐☐ 아래에서 쉬었다 가자. (햇빛이 가려진 어두운 부분)
   ② 나이가 들면 부모님의 ☐☐에서 벗어나야 한다. (다른 사람의 보호나 혜택)
   ③ 아빠는 할머니의 병세가 깊어 얼굴에 ☐☐이 지셨다. (근심이나 불행으로 어두워진 마음)

9 뜻이 반대인 말 마중/배웅

'마중'은 '오는 사람을 나가서 맞이함.'이라는 뜻이고, '배웅'은 '떠나가는 사람을 따라가서 작별하여 보냄.'이라는 뜻이에요. 따라서 '마중'과 '배웅'은 뜻이 서로 반대인 말이에요.

미국에서 오는 친구를 **마중**하다. ↔ 미국에 가는 친구를 **배웅**하다.

밑줄 친 낱말과 뜻이 반대인 낱말을 써 보세요.

1. 연지는 공부 좀 잘한다고 거만하다. ⇨ 겸 손
   잘난 체하며 남을 얕잡아 보는 태도가 있음.
2. 올해는 흉년이 들어 쌀값이 엄청 올랐다. ⇨ 풍 년
   농사가 잘 되지 않은 해
3. 반 대항 피구 경기는 우리 반의 승리로 끝났다. ⇨ 패 배
   겨루어서 이김.
4. 도움말▼ '농담'은 '우스갯소리'와 바꿔 쓸 수 있어요.
   윤수의 말이 농담인 줄 알면서도 기분이 나빴다. ⇨ 진 담
   실없이 놀리거나 장난으로 하는 말
5. 주인공은 연극의 마지막 부분에서 멋지게 퇴장을 했다. ⇨ 입 장
   연극 무대에서 등장인물이 무대 밖으로 나감.
6. 시골에 계시는 할머니가 오셔서 기차역으로 마중을 나갔다. ⇨ 배 웅
   오는 사람을 나가서 맞이함.

10 형태가 변하는 말 걷다

'걷다'의 '걷-'은 '-으면서'와 같이 모음으로 시작하는 말과 만나면 '걸으면서'처럼 형태가 변해요.

걷다 → 걷- + -으면서 → 걸으면서
('으'를 만나 ㄷ이 ㄹ로 바뀜.)

도움말▲ '얻다'의 '얻-'은 뒤에 '-으면서'처럼 모음으로 시작하는 말과 만나도 '얻으면서'와 같이 'ㄷ'이 'ㄹ'로 변하지 않아요.

주어진 낱말을 빈칸에 알맞은 형태로 바꿔 써 보세요.

걷다

1. 나는 지금 길을 걷 고 있다.
2. 어제 엄마와 함께 산책 길을 걸 었 다.
3. 우리 같이 걸 으 면 서 이야기하자.

묻다

4. 나 대신 점원에게 물 어 봐 줘.
5. 지나가는 사람에게 길을 물 었 다.
6. 진아가 민수에게 숙제를 했는지 묻 고 있었다.

11 타교과 어휘 과학

밑줄 친 낱말에 알맞은 뜻을 찾아 연결하세요.

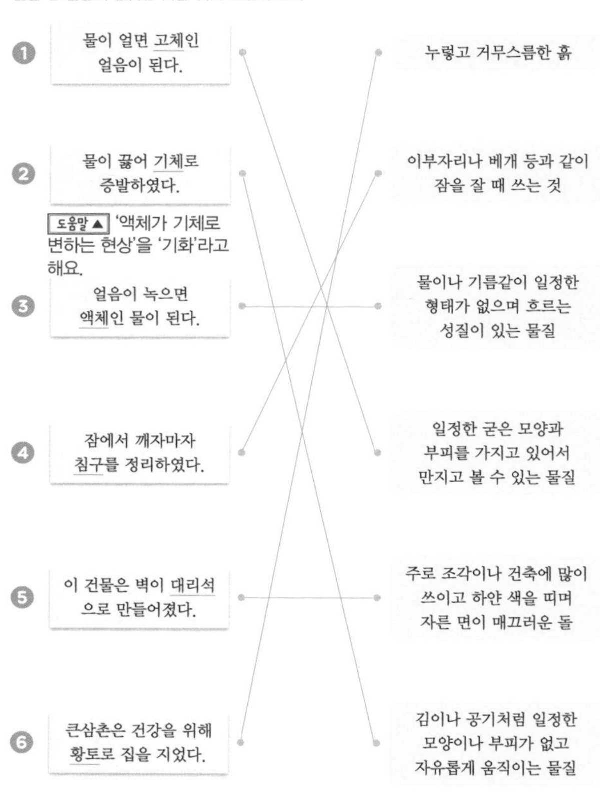

1 물이 얼면 고체인 얼음이 된다.
2 물이 끓어 기체로 증발하였다.
도움말▲ '액체가 기체로 변하는 현상'을 '기화'라고 해요.
3 얼음이 녹으면 액체인 물이 된다.
4 잠에서 깨자마자 침구를 정리하였다.
5 이 건물은 벽이 대리석으로 만들어졌다.
6 큰삼촌은 건강을 위해 황토로 집을 지었다.
누렇고 거무스름한 흙
이부자리나 베개 등과 같이 잠을 잘 때 쓰는 것
물이나 기름같이 일정한 형태가 없으며 흐르는 성질이 있는 물질
일정한 굳은 모양과 부피를 가지고 있어서 만지고 볼 수 있는 물질
주로 조각이나 건축에 많이 쓰이고 하얀 색을 띠며 자른 면이 매끄러운 돌
김이나 공기처럼 일정한 모양이나 부피가 없고 자유롭게 움직이는 물질

빈칸에 알맞은 낱말을 써서 문장을 완성해 보세요.

1. 그는 목표물을 정확히 조 준 한 뒤에 방아쇠를 당겼다.
   목표물에 정확히 맞도록 방향과 거리를 조절함.
2. 어디선가 소 음 이 들려와 공부에 집중을 할 수가 없다.
   불쾌하고 시끄러운 소리
3. 내 목소리를 녹 음 하여 다시 들어 보니 이상하게 들렸다.
   소리를 저장함.
4. 놀이공원에서 레 이 저 쇼를 보았는데 불빛이 참 예뻤다.
   빛 에너지를 한 줄기로 뭉쳐서 강하게 내쏘는 장치
5. 음악실에는 방 음 벽 이 있어 소리가 새어 나가지 않는다.
   소리가 새어 나가거나 새어 들어오는 것을 막기 위해서 설치한 벽
6. 과학 시간에 온도계를 가지고 여러 곳의 온도를 측 정 해 보았다.
   양, 크기, 성질 등을 장치로 재는 것

MEMO

MEMO

MEMO

MEMO